LE
TRUCOSCOPE
DE
LA BEAUTÉ

À mes enfants Stéphanie et Grégory

Conception graphique : Guylaine Moi
Réalisation : G&C Moi
Illustrations : G&C Moi
Rewriting : Danièle Bratzler

© Éditions France Loisirs, 2002
123, boulevard de Grenelle, Paris
www.france-loisirs.com

ISBN : 2-7441-5610-8
N° Éditeur : 36639
Dépôt légal : Juillet 2002

Colette **BETTONI**

LE TRUCOSCOPE
DE
LA BEAUTÉ

les mille et un trucs
pour être encore plus belle

ÉDITIONS
FRANCE
LOISIRS

sommaire

avant-propos

Bien souvent prises dans l'incessant tourbillon de l'époque actuelle, partagées entre la vie professionnelle et les tâches ménagères, les femmes rêvent de s'abandonner au confort douillet d'un institut qui leur permettra de se sentir bien dans leur corps. Mais les moments de loisirs et les moyens financiers font parfois défaut, et il est alors bien tentant de se laisser aller au découragement. Pourtant, il suffit de grignoter un peu de temps au fil des semaines, de se détendre dans une atmosphère tranquille et de recourir à quelques trucs pour se retrouver au mieux de sa forme.

Les «trucs», voilà un bien petit mot pour de si grands remèdes! Recettes éprouvées de grands-mères, fruits d'un heureux hasard, résultats d'une recherche méthodique, application rationnelle des produits sélectionnés, association de divers éléments ou tout simplement reflet du bon sens, les trucs sont l'objet de toutes les convoitises, mais ils ne se dévoilent généralement que dans la plus grande confidentialité.

Le *Trucoscope* – néologisme hardi, certes, mais ô combien explicite – vous entraîne à la découverte de ces mille et une astuces qui exalteront votre beauté et participeront à votre bien-être. Qu'il s'agisse de conserver l'éclat de votre jeunesse, de masquer certaines imperfections ou dissimuler les effets de l'âge, vous trouverez dans cet ouvrage des conseils.avisés.

La première partie aborde des traitements adaptés à chaque type de peau. Les méthodes pour nettoyer, tonifier, hydrater, nourrir, protéger et remédier aux petits problèmes n'auront plus de secret pour vous. Et n'oubliez pas qu'une peau saine est l'assurance d'un teint lumineux.

La deuxième partie est une inestimable source de trucs pour avoir une chevelure de rêve. Remèdes, soins, conseils de coiffure et de coloration vous garantiront des cheveux toniques et brillants

La troisième partie se fait votre complice pour rehausser la pureté de vos traits ou, au contraire, gommer quelques défauts mineurs. Pour être réussi, le maquillage du visage obéit à certaines règles qu'il vous faut connaître. Apprenez à manier l'éponge et le pinceau pour une application parfaite du fond de teint et du blush. Sachez choisir les tons qui conviennent le mieux à votre carnation. Jouez de l'estompe pour un effet naturel, donnez-vous bonne mine, osez la note sophistiquée le temps d'une soirée.

La quatrième partie du *Trucoscope* vous révèle tous les trucs malins pour mettre vos yeux en valeur. Initiez-vous à l'art de l'épilation, redessinez-en l'arc, recourez au mascara pour allonger et épaissir vos cils. Les fards à paupières ne sont pas en reste, qui autorisent les subtils camaïeux ou les contrastes séduisants.

Comme les yeux, la bouche est un point phare du visage. **Dans dernière partie** de ce livre vous glanerez une multitude d'idées pour offrir aux regards une bouche superbe, délicatement ourlée et nimbée de lumière.

Mais *Le Trucoscope* décline la beauté de bien d'autres manières encore. Ainsi, il vous propose de bénéficier des innombrables vertus des plantes et des ingrédients naturels en concoctant vous-même lotions, crèmes, shampooings et autres précieux alliés.

La beauté ne s'affiche pas nécessairement d'emblée, elle se mérite le plus souvent. J'espère que cet ouvrage vous aidera à découvrir ou rédécouvrir la vôtre. Il est inconscient de vivre dans une insouciance euphorique quand on est à la fleur de l'âge, et il est inutile d'occulter les inconvénients propres au vieillissement. Mieux vaut vous soucier de préserver le fabuleux privilège de votre jeunesse ou de vous attacher à retarder et atténuer les effets du temps. Le propos du *Trucoscope* est de vous rendre la tâche plus aisée en vous incitant à procéder à des soins attentifs et réguliers, et en vous offrant une vaste palette de conseils et d'astuces dans laquelle vous puiserez en fonction de vos besoins.

À petit effort, grand effet. Consacrez quelques minutes chaque jour à ne vous préoccuper que de vous, et vous serez resplendissante.

la peau

Votre peau est non seulement
le reflet de votre santé,
mais c'est aussi l'atout majeur
de votre beauté.

Bien sûr, sa nature est en grande partie déterminée par la génétique, mais, au fil des années, elle se modifie ou s'altère.

Agressé de mille et une façons, l'épiderme souffre et réagit. Un régime alimentaire mal équilibré, le stress, la pollution atmosphérique, l'action du soleil, du vent et du froid, l'abus de tabac, l'air sec du chauffage central sont autant de facteurs traumatisants qui menacent le fragile équilibre de la peau. S'ajoutent à cela les modifications de la sécrétion hormonale, le manque de sommeil, les effets du vieillissement, qui ternissent ou flétrissent l'épiderme.

Pour préserver votre peau, il vous faut d'abord la respecter. Surveillez votre alimentation, en veillant à absorber suffisamment de vitamines et d'oligo-éléments (voir tableaux p. 197), faites de l'exercice, pratiquez des massages pour stimuler les muscles et adoptez une ligne de soins adaptée à votre style de peau et à votre âge.

Cette première partie vous livre tous les secrets pour nettoyer, tonifier, hydrater, nourrir, régénérer, protéger… bref, pour une peau de rêve.

N'oubliez pas que la peau évolue au fil des années et qu'il faut savoir changer de démaquillant quand le besoin s'en fait sentir.

le démaquillage, un geste de beauté

Le démaquillage est destiné à maintenir ou à rétablir une bonne hydratation cutanée. C'est la condition essentielle d'un teint lumineux et d'une peau saine.

• **Commencez par** démaquiller vos yeux et vos lèvres avec une lotion ou une émulsion en utilisant trois cotons différents, puis procédez au démaquillage de votre visage avec un produit adapté à votre type de peau (lait, gel, crème, huile).

• **Une jolie peau saine**, c'est avant tout une peau parfaitement nettoyée. Pour lui conserver son éclat, il faut éliminer quotidiennement toute trace d'impuretés et de maquillage.

• **Mettez un bandeau** pour protéger vos cheveux et permettre le démaquillage jusqu'à leurs racines.

• **Pour un démaquillage parfait**, étalez le produit dans le creux de vos mains, puis appliquez-le sur votre visage en procédant par mouvements circulaires et en appuyant. N'oubliez pas le cou. Essuyez votre peau avec un mouchoir en papier. Imbibez de tonique deux disques de coton. Passez-les sur votre visage et votre cou en allant toujours du centre vers l'extérieur. Séchez immédiatement avec un nouveau mouchoir en papier, en pressant délicatement du bout des doigts.

• **Pour un démaquillage efficace**, n'hésitez pas à répéter l'opération jusqu'à ce que le coton soit parfaitement propre. Appliquez ensuite votre crème de jour ou de nuit.

• **Une soirée imprévue ?** Vous n'avez pas le temps de vous démaquiller et de refaire votre maquillage ?
Adoptez pour une fois un nettoyage express, qui vous permettra de vous débarrasser rapidement de toute trace de maquillage.
Dédoublez un mouchoir en papier. Faites un trou au centre et appliquez-le sur votre visage. Tamponnez sans frotter.

• **Pour les adeptes du savon**, le pain dermatologique est tout indiqué. Humidifiez d'abord la peau avant d'utiliser le pain. Après rinçage, séchez-vous rapidement en tapotant avec une serviette-éponge ou, mieux, une serviette en papier doux.

→ À chaque peau son démaquillant

La nature de votre peau détermine l'utilisation d'un produit tel que le lait, l'huile, la crème, le gel ou le savon. Démaquillée avec le produit adéquat, elle sera lumineuse et rosée.

Pour connaître votre type de peau, faites le test suivant :
Prenez un carré de papier de soie et appliquez-le sur les différentes zones de votre visage.
• Si votre peau est **sèche**, déshydratée, le papier restera propre.
• Si votre peau est **grasse**, chaque endroit testé laissera une trace transparente.
• Si votre peau est **mixte**, le papier restera net, sauf sur le front, les ailes

du nez et le menton, où il deviendra transparent.

à noter

◆ Si vous sortez le soir, il est préférable de vous démaquiller au moins 2 heures avant de vous refaire une beauté, si vous voulez que le maquillage tienne, surtout si la soirée doit se prolonger tard dans la nuit. Si toutefois vous n'avez pas le temps de vous démaquiller, il faut parer au plus pressé. Essuyez vos lèvres avec un mouchoir en papier, brossez vos sourcils pour les disci- pliner, repoudrez-vous, mettez un peu de blush et, pour finir, un rouge à lèvres lumineux. Inutile de toucher au maquil- lage des yeux si vous utilisez de bons produits, qui ne coulent pas.

→ Bien nettoyer une peau normale

S votre peau est normale, c'est-à-dire douce au toucher, avec un grain très fin et une bonne élasticité, profitez de votre chance et choisissez des pro- duits qui respectent son équilibre.

→ Bien nettoyer une peau sèche

Les peaux sèches sont fragiles. Il faut éviter de les maltraiter. Au fil des années, la peau devient sèche et perd de sa souplesse. Si vous ne pouvez empêcher ce phénomène naturel, il est en revanche facile d'en atténuer les effets. Utilisez un démaquillant très doux et un tonique sans alcool. Vous pouvez aussi laver votre visage avec une infusion tiède de bourrache ou de camomille.

→ Les 10 «points noirs» des peaux sèches

1. Tout ce qui décape la peau : savons trop alcalins, gommages trop fré- quents, rinçages à l'eau calcaire, tonique alcoolisé, dont l'effet est multi- plié par dix par temps froid.

2. Le sauna (préférez le hammam).

3. Une chambre où la température est trop élevée. Aérez 5 minutes avant de vous coucher, et ne dépassez pas 19° C. On dort mieux et la peau ne se dessèche pas.

4. Une atmosphère trop sèche. Mettez des récipients remplis d'eau sur les radiateurs ou installez des saturateurs.

5. Les brusques variations de température ; ce sont des pompes à eau pour la peau. Pas de plein air sans protection sur le visage.

6. Les régimes mal équilibrés.

7. Les bains de soleil sans protection maximale. Préférez l'auto-bronzant, désormais très au point.

8. Les séances répétées d'UV.

9. L'alcool et le tabac. Ils accélèrent la déshydratation cutanée et l'apparition des rides.

10. Pas de journée sans eau (1,5 l par jour).

CRÈME DÉMAQUILLANTE À L'AVOCAT POUR PEAU SÈCHE

Faites fondre 15 g de cire émulsifiante et 1 cuillerée à café de lanoline au bain-marie. Ajoutez 6 cuillerées à soupe de chair d'avocat écrasée et 4 cuillerées à soupe d'eau bouillie. Hors du feu, fouettez énergiquement.

→ **Bien nettoyer une peau grasse**

Surtout, pas de nettoyage trop agressif ; votre peau risque de se protéger en produisant encore plus de sébum. Il faut vous démaquiller avec beaucoup de douceur. Ne pressez pas les points noirs et ne vous aspergez pas de lotion alcoolisée.

● Matin et soir, démaquillez votre peau avec un lait neutre, un gel équilibrant et purifiant ou un pain dermatologique qui se rince à l'eau. Finissez par une lotion légèrement astringente. Pour nettoyer et tonifier tout à la fois une peau grasse, appliquez le démaquillant avec une petite brosse de massage deux fois par semaine.

truc

◆ Pour nettoyer votre peau à fond, adoptez ce traitement une fois par semaine : remplissez votre lavabo d'eau tiède ; plongez-y votre savon dermatologique et appliquez-le sur votre visage. Faites bien mousser et massez votre épiderme durant

5 minutes, toujours en mouvements ascendants. Lavez ainsi une vingtaine de fois, puis rincez une dizaine de fois à l'eau claire. Terminez par une brumisation d'eau minérale que vous épongerez avec un mouchoir en papier.

→ Bien nettoyer une peau mixte

• Pour éliminer la grisaille de votre épiderme sans l'irriter, mélangez un peu de produit exfoliant à votre lait démaquillant. Massez légèrement votre visage avec cette préparation ; votre teint retrouvera sa fraîcheur, sans aucune rougeur.

→ Bien nettoyer une peau sensible

• Utilisez des produits à pH équilibré (proche de l'acidité de la peau), sans parfum ni colorant ; ils sont généralement bien tolérés par les épidermes délicats. Pour réveiller une peau sensible, vaporisez-la d'eau minérale le matin, puis séchez en douceur avec un mouchoir en papier. L'usage d'une crème nutritive après le démaquillage est toujours nécessaire. Pour en accentuer l'effet bénéfique, placez quelques instants un gant de toilette chaud sur le front, les joues et le cou.

à noter

◆ Achetez plutôt votre lait et votre tonique en grand conditionnement, vous les paierez moins cher. Transvasez la moitié dans un flacon que vous placerez dans le bas du réfrigérateur en attendant de vous en servir. Le produit conservera ainsi toutes ses propriétés.

◆ Utilisez votre démaquillant jusqu'à la dernière goutte en prenant l'habitude de ranger le flacon la tête en bas. Économisez vos produits en les mettant sur un coton déjà humidifié.

◆ Si vous êtes à court de lait démaquillant : vous pouvez le remplacer par du lait entier, 1 noisette de beurre ou 1 cuillerée à café d'huile d'olive.

◆ Un démaquillant est efficace s'il peut ôter, en un clin d'œil, une trace de rouge à lèvres. Faites le test.

truc **et astuce**

Attention : les laits de toilette ne conviennent absolument pas au démaquillage des yeux ; les particules grasses qu'ils contiennent pénètrent vite dans les tissus fragiles des paupières et les font gonfler.

les laits démaquillants

Pour une mise en beauté parfaite, composez vous-même des laits démaquillants qui laisseront votre peau nette et fraîche. Avec un peu de pratique, vous les réaliserez en un tour de main.

→ **Peau normale**

Lait hydratant
★ Dans 1/2 tasse de lait entier, ajoutez 1 cuillerée à soupe d'eau de rose et 1 cuillerée à café d'huile d'olive. Mettez en bouteille et agitez avant emploi.

Lait à la rose
★ Dans 1/2 tasse de lait entier, ajoutez 3 cuillerées à soupe d'infusion de roses de Provins. Mélangez bien et mettez en bouteille.

à noter
◆ Principale source de calcium, le lait contient toutes les vitamines, notamment la vitamine A, surnommée «vitamine de beauté». Il n'est pas seulement important pour la santé, mais

15

c'est aussi un excellent agent nettoyant, qui hydrate la peau et la rend très douce. Utilisez du lait entier, encore plus efficace, car plus riche en matière grasse. N'oubliez pas de rincer avec du tonique ou de l'eau minérale.

→ Peau sèche

Lait aux amandes

✳ Mélangez 2 grands verres de lait entier et 4 cuillerées à soupe d'amandes en poudre. Faites chauffer à feu très doux durant 10 minutes. Couvrez et laissez reposer 2 heures avant de filtrer. Versez la préparation dans un flacon en verre et bouchez.

Lait au tilleul

✳ Faites une infusion avec 100 grammes de fleurs de tilleul (ou de camomille) et mélangez la valeur de 1 verre à moutarde de ce liquide à 4 cuillerées à soupe de lait entier.

Lait à la fraise

✳ Délayez dans 1/4 de litre de lait entier, 50 grammes de poudre d'amandes. Mixez 200 grammes de fraises bien mûres préalablement lavées et équeutées puis filtrez à travers une passoire. Mélangez le lait et le jus de fraises, ajoutez 1 pincée de borate de soude.

Lait «teint de pêche»

✳ Mixez ensemble 1 cuillerée à soupe de lait entier, 1 cuillerée à soupe de pulpe de pêche et 1 cuillerée à soupe d'eau de rose.

Lait-crème à la pêche

✳ Mélangez la pulpe de 1 pêche, 50 grammes de crème fraîche et 1 cuillerée à soupe d'huile d'amande douce.

ATTENTION

Les laits «maison» – notamment ceux à base de produits laitiers – ne contiennent pas de conservateur et ne se gardent que 3 jours au réfrigérateur dans un récipient ébouillanté au préalable et hermétiquement fermé.

Lait à la banane

✳ Passez la chair de 1 banane bien mûre au mixeur. Mélangez-la avec 1/2 tasse de lait entier. Ajoutez 1 cuillerée à café d'huile d'amande douce et 1 cuillerée à soupe d'eau de rose.

Lait au melon

✳ Coupez 1 tranche de melon en petits cubes et mixez. Pressez la purée obtenue dans une gaze. Ajoutez à ce jus la même quantité de lait et d'eau minérale.

Lait à la noix de coco

✳ Mixez 50 grammes de noix de coco en poudre avec 10 centilitres d'eau de rose. Filtrez et ajoutez 1 cuillerée à soupe de glycérine. Agitez avant utilisation.

Lait au concombre

✳ Mélangez 100 grammes de pulpe de concombre à 1/2 litre de lait entier. Filtrez et conservez en bouteille.

→ Peau grasse

Lait de fraîcheur

✳ Dans une tasse, mélangez 1/2 yaourt entier, 1 cuillerée à soupe de miel d'acacia, 1 cuillerée à café d'huile de germe de blé, la pulpe de 1/2 pomme passée au mixeur et 1 cuillerée à soupe de jus de citron. Ajoutez 10 grammes de fécule de pomme de terre et remuez. Incorporez 15 gouttes de teinture-mère de romarin et 5 gouttes d'huile essentielle de lavande. Mélangez à nouveau et mettez dans un récipient bien fermé.

La main est le meilleur allié de la beauté. Alors, à moins d'en changer tous les deux jours, laissez le gant de toilette ou l'éponge au placard. Ce sont de véritables nids de microbes.

les huiles démaquillantes

Pour une peau

toute douce, essayez

ces recettes miracles qui lui

redonneront souplesse

et velouté.

Les huiles végétales contiennent des acides gras et des vitamines qui rééquilibrent l'épiderme. Ainsi, votre peau est enrichie, se renouvelle mieux et gagne en élasticité. Ce sont d'excellents démaquillants, à utiliser pour les peaux normales et sèches.
Elles ont toutefois un inconvénient : leur parfum.

• **Pour appliquer une huile démaquillante**, il vous faut tout d'abord mouiller vos mains, puis verser un peu d'huile sur la paume.
Ensuite, massez doucement votre visage en mouvements circulaires pour bien faire pénétrer. Ôtez le surplus avec une lotion fraîcheur.

→ Recettes

✻ Mélangez en parts égales de l'huile d'olive, de sésame et d'avocat. Agitez avant emploi.

✻ Mélangez 6 cuillerées à soupe d'huile d'amande douce, 3 de tourne-sol, 3 d'olive et 3 de carthame. Ajoutez 4 ou 5 gouttes d'extrait de géranium ou de santal, qui ajouteront un parfum délicat.

✻ Mettez dans un pot de verre 80 grammes de sommités fleuries de bruyère et 1/2 litre d'huile d'olive. Faites chauffer au bain-marie pendant 1 heure sans laisser bouillir. Versez dans un flacon, bouchez, laissez reposer 7 jours et filtrez.

✻ Faites macérer 1 poignée de violettes dans 1/4 de litre d'huile d'amande douce. Filtrez après 8 jours de macération.

✻ Mélangez dans un flacon 5 centilitres d'huile de germe de blé, 5 centilitres d'huile d'avocat, 5 centilitres d'huile de jojoba, 5 millilitres de teinture de benjoin et 25 centilitres d'eau de rose. Agitez avant usage.

Si vous récoltez les plantes vous-même, faites-les sécher dans un endroit sec, à l'abri de la lumière, et protégez-les de la poussière. Conservez-les ensuite dans des boîtes en fer (1 an au maximum) et respectez les proportions.

les lotions fraîcheur

Tonifiante ou adoucissante,

la lotion parachève

le démaquillage

et apporte une sensation

de bien-être et de fraîcheur.

Une lotion est indispensable après l'application d'un produit démaquillant. Elle permet d'éliminer les restes de démaquillant, mais aussi de faciliter la bonne pénétration de la crème de soin et la bonne tenue du maquillage.

• **Découvrez les bienfaits des fleurs** et des fruits, qu'ils soient frais ou séchés. La nature vous offre la gamme infinie de ses végétaux aux multiples vertus : l'orange, le citron et le pamplemousse, gorgés de vitamines, ont également des propriétés astringentes ; le jus de tomate soigne les petits boutons ; le jus de pêche appliqué sur le visage adoucit la peau et l'embellit ; l'eau de cuisson des carottes est un remède excellent pour éclaircir le teint. Préparées en un tour de main, ces lotions remplaceront avantageuse-ment les produits du commerce.

Pour une sensation fraîcheur encore plus intense, pulvérisez la lotion sur votre visage. Les fines gouttelettes vont ainsi hydrater la peau, l'assouplir et la détendre.
Par temps chaud, gardez les lotions au réfrigérateur et renouvelez-les tous les 2 jours.

→ Peau normale

✳ Plongez 1 poignée de feuilles de mélisse séchées dans 1/2 litre d'eau minérale. Faites bouillir 3 minutes, puis laissez infuser 15 minutes avant de filtrer. À renouveler tous les 3 jours. (Les lotions pour peau sèche vous conviendront aussi.)

→ Peau sèche

✳ Mettez 8 têtes de camomille dans 1/4 de litre d'eau, puis portez à ébulli-tion durant 5 minutes. Filtrez et laissez refroidir.

✳ Mettez 1 cuillerée à soupe de feuil-les de sauge, 1 cuillerée à soupe de fleurs de mauve et 1 cuillerée à café de fleurs de violette dans une casserole contenant 1/4 de litre d'eau. Amenez à ébullition, laissez bouillir 15 minutes, puis filtrez. Utilisez cette lotion adou-cissante matin et soir.

✳ Préparez une eau de miel en faisant dissoudre 2 cuillerées à soupe de miel dans 1 litre d'eau distillée.

✳ Mettez 4 têtes de camomille romai-ne et 1 pincée de fleurs de sureau dans une tasse à thé remplie d'eau bouillante. Laissez infuser 10 minutes avant de filtrer.

✳ Faites préparer le mélange suivant chez un herboriste : 20 grammes de boutons de roses, 20 grammes de fleurs de sureau, 20 grammes de feuilles d'orties piquantes, 10 gram-mes de matricaire. Plongez 1 cuillerée à soupe du mélange dans une casse-role émaillée contenant la valeur de 1 tasse de thé d'eau bouillante et faites bouillir 1 minute, puis laissez infuser 15 minutes avant de filtrer avec soin.

✶ Faites infuser 30 grammes de fleurs de tilleul dans 1 litre d'eau. Filtrez et mettez en bouteille.

à noter

◗ D'abord, imbibez d'eau un coton sur lequel vous ne verserez que quelques gouttes de tonique. Il durera plus longtemps que si vous le versez sur un coton sec.

◗ Le tonique n'est pas exclusivement réservé au visage et au cou. Vous pouvez l'employer également sur la nuque, le décolleté et les épaules, pour vous rafraîchir avant une soirée.

◗ Des picotements, une peau desséchée signalent que votre tonique est trop fort. Changez-le ou ajoutez une cuillerée à café d'eau minérale pour 3 centilitres de lotion.

→ **Peau grasse**

✶ Mettez quelques gouttes de citron dans une infusion de thé fort pour obtenir une lotion astringente très efficace.

✶ Versez 1 verre d'eau minérale dans une casserole. Portez à ébullition et ajoutez 1 cuillerée à soupe de feuilles d'hamamélis. Faites bouillir 2 minutes et laissez infuser pendant 20 minutes, puis filtrez avec soin. À utiliser deux fois par jour.

✶ Préparez une infusion avec 1/4 de litre d'eau et 1 poignée de feuilles et fleurs de pissenlit. Laissez infuser 15 minutes. Appliquez sur votre visage deux fois par jour.

✶ Faites bouillir 10 minutes 1 poignée de persil dans le contenu d'un bol d'eau. Filtrez. Laissez refroidir. Humectez un morceau de coton et passez-le doucement matin et soir sur votre visage.

✶ Mettez 1 poignée de racine de guimauve dans 1/2 litre d'eau, laissez bouillir 10 minutes. Une application bi-quotidienne vous assurera une peau saine et douce.

✳ Préparez une infusion de romarin avec 20 grammes de plante séchée pour 1/2 litre d'eau. Laissez reposer 2 heures. Filtrez et conservez dans un flacon bouché. À utiliser matin et soir.

✳ Faites bouillir 2 concombres pelés, puis hachés dans 1 litre d'eau. Filtrez avant utilisation.

✳ Coupez 1 concombre pelé en petits morceaux et passez-le au mixeur. Filtrez la préparation. Ajoutez 1/2 verre d'eau de rose et 1/2 cuillerée à café de benjoin. Versez dans un flacon. Agitez avant emploi.

✳ Faites bouillir durant 15 minutes 30 grammes de mélisse dans 1 litre d'eau, puis laissez infuser 10 minutes.

✳ Confectionnez une lotion en mélangeant le jus de 1/2 citron à la même quantité d'eau minérale. Versez dans un flacon et agitez.

✳ Mixez des grains de raisin préalablement épépinés. Mélangez 2 cuillerées à soupe de jus de raisin avec 1 cuillerée à soupe d'huile d'amande douce et 1 cuillerée à café d'eau de rose. Mixez à nouveau pour obtenir une composition homogène.

✳ Plongez 1 cuillerée à soupe de fleurs de sureau dans une tasse à thé remplie d'eau bouillante. Laissez infuser 20 minutes, puis filtrez avec soin et conservez dans un petit flacon hermétique. Matin et soir, après le démaquillage, appliquez cette lotion sur le visage et le cou.

✳ Délayez une cuillerée à soupe de miel d'acacia dans 40 grammes d'eau bouillante. Ajoutez 1/2 cuillerée d'huile d'olive. Émulsionnez bien.

✳ Dans un flacon, mélangez en parts égales : huile d'amande douce, eau de rose, alcool à 80°, jus de citron. Agitez afin d'obtenir une préparation homogène.

✳ Jetez dans 1/2 litre d'eau bouillante

1 poignée de pétales de rose. Laissez infuser 20 minutes. Filtrez, ajoutez 6 gouttes de teinture de benjoin. Mettez en flacon.

✳ Mélangez le jus de 1 orange filtré avec son tiers d'eau de rose.

✳ Dans une petite coupelle, mélangez 1 cuillerée à soupe d'eau minérale, 2 de jus de pamplemousse, 2 de jus de raisin, le jus de 1/2 citron.

→ Peau mixte

✳ Mélangez 6 cuillerées à soupe de jus de concombre, 1 cuillerée à soupe d'eau de rose et 1 cuillerée à café de jus de citron. Le concombre est l'un des meilleurs produits naturels pour la peau. Conservez en bouteille de verre.

✳ Plongez 1 cuillerée à café de feuilles de menthe dans 1/4 de litre d'eau bouillante. Laissez infuser une vingtaine de minutes et filtrez.

✳ Faites préparer le mélange suivant : 30 grammes de baies de genièvre, 30 grammes de feuilles de mélisse, 10 grammes de racine de gentiane, 5 grammes de clous de girofle. Jetez 1 cuillerée à soupe de ce mélange dans une casserole contenant 1/4 de litre d'eau minérale. Faites bouillir 3 minutes et laissez infuser 15 minutes avant de filtrer.

→ Tous types de peau

Lotions tonifiantes

✳ Pressez le jus de 1/2 orange et appliquez sur la peau à l'aide d'un coton à démaquiller. Laissez poser 5 minutes, puis tonifiez par une brumisation d'eau minérale fraîche. Épongez avec un mouchoir en papier.

✳ Prélevez le jus de 1 belle grappe de raisin. Filtrez. Lotionnez votre visage démaquillé à l'aide d'un coton. Laissez 5 minutes et rincez à l'eau minérale tiède.

✳ Pour tonifier une peau fatiguée, mettez 40 grammes de marjolaine, 40 grammes de fleurs d'aubépine,

20 grammes de feuilles de serpolet et 20 grammes de chatons de saule dans 1/4 de litre d'eau bouillante. Laissez infuser, puis filtrez.

RECETTES EXPRESS POUR PEAU TONIQUE

Appliquez durant 5 minutes un morceau de gaze imbibé d'eau tiède parfumée à la fleur d'oranger.

Aspergez votre visage avec de l'eau tour à tour chaude, puis froide, et terminez toujours par l'eau froide. Cela stimule la circulation, rosit le teint et tonifie. À éviter toutefois en cas d'épiderme fragile.

Lotion raffermissante et tonifiante

✳ Plongez 1 grosse pincée de feuilles de romarin et autant de thym dans une casserole contenant la valeur de 1 tasse à thé d'eau. Faites bouillir 2 minutes et laissez infuser 10 minutes.

trucs

♦ Vous avez besoin d'un vaporisateur pour pulvériser vos lotions ?

Un vaporisateur pour plantes fera l'affaire ! Tenez-le à bonne distance pour obtenir une brumisation douce et régulière qui tonifiera votre visage.

♦ Se rafraîchir sans se démaquiller, c'est possible si vous confectionnez des glaçons à l'eau de rose ou à l'eau de fleur d'oranger. Enveloppez-les dans une gaze. Passés sur le visage, ils fixeront le maquillage et laisseront une sensation de fraîcheur.

Écrivez aux laboratoires de produits de beauté pour tester leurs nouveautés. Vous recevrez sûrement des échantillons sur lesquels on vous demandera votre avis. Voilà un bon moyen d'essayer des produits sans bourse délier.

crèmes de jour et huiles de soin

Protéger et hydrater

la peau chaque matin

est un geste essentiel,

la clé de votre beauté.

→ Crèmes de jour

• N'appliquez une crème de soin qu'après avoir soigneusement nettoyé votre épiderme.

• **Une règle d'or** : partez toujours du centre du visage (nez, menton), pour aller vers l'extérieur (joues, tempes). «Remontez» les joues en appliquant la crème avec des mouvements ascendants et vers l'extérieur. Massez légèrement le nez et l'arête vers les côtés. «Repassez» le front de bas en haut. N'oubliez pas le cou, en effleurant la peau avec des mouvements descendants, jusqu'au décolleté.

• **Ayez toujours la main ultra-légère.** Utilisez le majeur, de préférence (c'est le doigt qui «pèse» le moins). Traitez votre peau comme de la soie fragile, avec une extrême douceur. La crème contour des yeux devra être appliquée en effleurant la peau, par petite touches sous les paupières, et en légers mouvements circulaires de l'extérieur vers l'intérieur de l'œil, sans tirer sur la peau.

• **Avant d'appliquer votre crème**, chauffez-la pendant quelques secondes au creux de vos mains. Elle sera alors à la température du visage et elle pénétrera deux fois mieux et deux fois plus vite.

• **Pour une meilleure pénétration des crèmes**, réveillez votre circulation par des effleurages du bout des doigts ou avec une roulette spéciale. Effectuez des pressions douces de la base du nez aux tempes, puis du menton jusqu'au front.

• **Si vous utilisez une crème en pot**, prélevez le produit avec une spatule et posez-le sur le bout de vos doigts. Vous empêcherez ainsi la prolifération des microbes.

• **Les crèmes hydratantes** servent de base au maquillage. Si la texture de votre crème est très riche, patientez quelques minutes avant d'appliquer votre fond de teint. Si vous êtes pressée, posez un mouchoir en papier sur votre visage pour absorber l'excédent.

• **Pour conserver leur douceur** et leur éclat, les peaux grasses ont besoin d'être hydratées chaque jour. Ne choisissez pas votre crème au hasard. Optez pour une formule spécifique qui régule la production de sébum, ou un fluide hydratant sans corps gras, qui matifie le teint.

• **Évitez les crèmes très grasses**, qui forment une sorte de masque asphyxiant et ne nourrissent pas la peau en profondeur. N'en mettez pas trop, car il faut savoir que les meilleurs crèmes ne traitent que les couches superficielles de la peau, une toute petite quantité suffit.

• **N'utilisez pas la même crème** toute l'année. L'hiver, votre peau réclame une crème plus riche.

- L'efficacité d'une crème est en général de 10 heures.

→ Huiles de soin

Les huiles de soin assouplissent et protègent la peau, retardant ainsi le vieillissement.

✱ Laissez macérer pendant 2 semaines 20 graines de baies concassées dans 20 centilitres d'huile d'amande douce. Filtrez soigneusement. Cette huile est un bon antirides.

✱ Faites macérer pendant 2 semaines 20 feuilles de basilic dans 20 centilitres d'huile d'amande douce. Agitez tous les jours. Filtrez et conservez au frais.

✱ Faites macérer 2 semaines 20 grammes de fleurs de bruyère dans 20 centilitres d'huile d'amande douce. Agitez chaque jour et filtrez ensuite avec soin.

✱ Laissez macérer pendant 1 mois 1 grosse poignée de fleurs de lis dans 1/2 litre d'huile d'amande douce. Filtrez et mettez en flacon. Appliquez cette huile raffermissante sur le visage et le cou deux fois par semaine.

✱ Faites mijoter 30 minutes au bain-marie 1/4 de litre d'huile de coco additionné de 2 cuillerées à soupe de camomille romaine, 2 cuillerées à soupe de fleurs de lavande et 2 cuillerées à soupe de fleurs de bouillon-blanc. Remuez et laissez macérer 24 heures avant de filtrer. Conservez la préparation dans un flacon en verre bien bouché.

✱ Laissez mijoter 30 minutes au bain-marie 10 feuilles de basilic, 10 grammes de fleurs de guimauve, 10 grammes de boutons de rose de Provins, 10 grammes de têtes de camomille romaine dans 25 centilitres d'huile de coco ou d'huile d'olive vierge. Remuez à l'aide d'une spatule en bois. Laissez reposer 12 heures avant de filtrer et de verser dans un flacon en verre bien bouché.

quelques trucs. économiqes

♦ Préférez les tubes aux pots.

♦ Privilégiez les petits modèles, qui assurent un renouvellement fréquent.

♦ Fermez bien vos pots et tubes, et mettez-les à l'abri de la lumière et de la chaleur (dans le bas du réfrigérateur l'été).

♦ Qu'elles soient coûteuses ou bon marché, toutes les crèmes contiennent des principes actifs similaires. Il est donc bon de chasser l'idée reçue selon laquelle les crèmes les plus chères sont les meilleures. D'excellentes crèmes et de très bons produits de soin sont vendus en grande surface.

♦ Vous voulez changer de crème de soin et votre tube n'est pas vide ? Conservez-le pour hydrater vos mains et vos coudes.

♦ Lorsqu'ils vous semblent vides, rangez tubes et flacons tête en bas. Vous verrez qu'il reste encore du produit !

♦ Ne jetez pas vos tubes en plastique lorsqu'ils vous paraissent finis. Coupez-les en deux ; il y a encore du produit pour quelques applications.

truc

N'oubliez pas d'étaler votre fond de teint sur le cou et le décolleté, étalez avec soin des mâchoires vers le buste, puis poudrez avec une poudre libre en utilisant un gros pinceau à blush.

les soins du cou et du décolleté

Pour avoir un joli cou,

souple et sans ridules,

pensez à en prendre soin.

Bien souvent négligé,

il trahit les effets du temps.

Au fil des années, la peau fragile du cou perd de sa tonicité et de sa souplesse. Des soins réguliers et simples vous permettront de retarder les effets du vieillissement.

→ Conseils de base

• **Pour garder à la peau** toute sa souplesse, lotionnez votre cou avec un coton imbibé de lait entier.

• **Pour un joli port de tête**, brossez votre cou au moment de la toilette, afin de stimuler l'épiderme.

• **En fin de toilette**, appliquez un glaçon sur le cou et le décolleté. Séchez en tapotant. C'est super pour la tonicité ! À faire le plus souvent possible.

- Pour une hydratation maximale, utilisez une crème de soin chaque soir, ou en cure deux fois par jour pendant 3 semaines. Les crèmes pour le cou sont à la fois antirides et raffermissantes.

- **N'exposez** jamais exagérément **votre cou** et votre buste au soleil : rien ne vieillit davantage qu'un décolleté à l'épiderme desséché et ridé.

- **Le port d'un foulard** est une protection efficace contre les UV et les agressions multiples, telles que le froid, le vent et le soleil.

→ Gommages et masques

- Appliquez une crème exfoliante au moins une fois par semaine.

→ Spécial décolleté

- **Passez sur votre cou** et votre décolleté un pinceau trempé dans du miel de bruyère. Laissez 15 minutes, puis massez doucement. Les petits grains de miel auront un effet désincrustant et exfoliant. Rincez à l'eau tiède.

- **Lorsque vous faites un masque pour le visage**, n'oubliez pas le cou, que vous emmitouflerez dans une serviette chaude pour faciliter la pénétration des principes actifs.

• **Appliquez de l'huile de germe de blé ou d'olive** à l'aide d'un pinceau plat et entourez votre cou d'une serviette chaude. Laissez poser 30 minutes. Ce masque tenseur est remarquable pour prévenir les premières marques du temps. Rincez avec une lotion hydratante.

trucs

◆ Prolongez toujours l'application de la crème de jour jusqu'au décolleté en faisant pénétrer le soin hydratant par petits mouvements descendants afin de ne pas abîmer les tissus fragiles de l'épiderme.

◆ Dormez de préférence avec un oreiller très plat.

◆ Si votre cou est plutôt court, oubliez les cheveux longs et choisissez une coiffure qui dégage les oreilles et la nuque. Ne portez pas de col roulé, plutôt des décolletés en V.

◆ Pour muscler votre cou, essayez cet exercice : asseyez-vous le dos bien droit et penchez la tête à droite. Posez votre main droite sur votre oreille gauche et poussez sur votre tête pendant 10 secondes, puis recommencez de l'autre côté. Ne forcez pas trop, pour ne pas faire souffrir vos vertèbres. À faire trois fois.

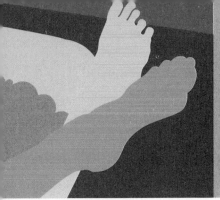

Si votre peau est hypersensible, mélangez le produit exfoliant à un peu de lait démaquillant pour obtenir un gommage ultra-doux.

N'oubliez pas d'enfiler un peignoir au décolleté largement ouvert et de dégager vos cheveux vers l'arrière à l'aide d'un bandeau.

bains de vapeur et gommages

Bains de vapeur

et gommages sont

souverains pour

désincruster et purifier

la peau en profondeur.

→ Bains de vapeur

Ce traitement ne nécessite qu'un matériel très simple : une casserole, un grand bol, une serviette et une infusion de plantes.

Le bain de vapeur est à faire une ou deux fois par mois, suivant le type de peau.

● **Versez l'infusion** dans un bol. Penchez votre visage au-dessus et couvrez votre tête d'une serviette. Restez ainsi 10 minutes au moins. Sous l'effet de la chaleur humide, les pores de la peau se dilatent. Rien n'est plus agréable que de respirer ce brouillard de vapeur.

● **Si votre peau est sèche**, appliquez auparavant une crème hydratante, que la vapeur fera pénétrer facilement.

33

• **Pour une peau encore plus fraîche**, terminez votre soin par un masque doux (voir pages 44-45).

Peau sèche
À faire une fois tous les 2 mois.
✳ Infusion de camomille, de tilleul, de lavande, de sauge, de graines de fenouil ou de plantain.

Peau grasse
À faire une fois par mois.
✳ Infusion de sauge, d'eucalyptus, de romarin, de menthe, de thé, de thym, d'aiguilles de pin, d'écorce ou de rondelles d'orange ou de citron.

Peau normale
À faire une fois par mois.
✳ Infusion de thym, de camomille, de feuilles de persil, de feuilles de marjolaine ou de lavande.

Peau sensible
À faire une fois tous les 2 mois.
✳ Infusion de fleurs de sureau ou de tilleul.

Peau acnéique
✳ Décoctions adoucissantes et décongestives de fleurs de sureau, de fleurs de séné, de bardane, d'eau de fleur d'oranger, de romarin ou de feuilles de menthe.

Relaxant
✳ 1 poignée de lavande (peau normale), de camomille (peau sèche) ou de menthe (peau grasse).

➜ Gommage
Effectué une ou deux fois par mois, le gommage exfoliant est votre meilleur allié pour conserver un teint parfait.

• **Il débarrasse l'épiderme** des cellules mortes et prévient l'excès de sébum, qui bouche les pores de la peau.

• **Complément du démaquillage**, c'est un moyen idéal pour prévenir l'apparition des petits boutons et des points noirs. Les préparations à base de plantes permettent d'effectuer un gommage en douceur et en profondeur.

• **Effectué le soir**, le gommage favorise une meilleure pénétration des produits de soin que vous appliquerez ensuite. Pour avoir un teint lumineux, massez les zones un peu grasses (front, nez, menton) et terminez en brumisant à l'eau fraîche, afin de resserrer les pores.

Peau normale

✴ Mélangez 1 cuillerée à soupe de flocons d'avoine, 1 cuillerée à soupe d'amandes en poudre et 1 cuillerée à soupe de poudre d'écorce d'orange. Ajoutez un peu d'eau minérale ou de lait pour obtenir une pâte lisse. Étalez sur votre visage et massez en procédant par petits mouvements circulaires. Insistez sur le nez et le front, puis rincez abondamment à l'eau minérale.

✴ Mélangez 250 grammes de flocons d'avoine, 125 grammes d'amandes en poudre, 25 grammes de savon dermatologique en paillettes, 3 gouttes de teinture de benjoin et 1 verre à moutarde d'eau tiède. Massez par mouvements circulaires, puis rincez à l'eau minérale.

✴ Mélangez 2 cuillerées à soupe de noix de coco râpée avec 1 cuillerée à soupe d'huile d'olive ou de noix. Posez sur votre visage, massez doucement, puis rincez à l'eau minérale tiède.

✴ Mélangez 1 cuillerée à soupe de gros sel marin et 3 cuillerées à soupe d'huile d'olive tiède. Appliquez sur le visage en pratiquant des mouvements circulaires et en insistant sur les ailes du nez. Rincez à l'eau minérale tiède.

✴ Écrasez la chair de 1 pomme de terre cuite avec suffisamment d'eau minérale pour obtenir une purée onctueuse. Ajoutez le jus filtré de 1 tomate fraîche. Appliquez cette pâte sur le visage et le cou, en évitant le contour des yeux. Laissez sécher avant de masser la peau en mouvements circulaires. Retirez le gommage à l'eau minérale tiède.

✴ Mélangez 2 cuillerées à soupe de sel fin et 2 cuillerées à soupe d'huile d'olive. Appliquez et gommez doucement. Rincez à l'eau minérale tiède.

✱ Passez au mixeur 3 cuillerées à soupe de feuilles de thym sèches et 1 cuillerée à soupe de romarin séché. Ajoutez 1 cuillerée à soupe de semoule de blé. Mélangez avec un peu d'eau minérale. Massez le visage en évitant le contour des yeux. Rincez à l'eau minérale.

Peau sèche

✱ Mélangez 2 cuillerées à soupe d'amandes en poudre et 2 cuillerées à soupe d'huile de tournesol. Massez en gestes circulaires. Rincez à l'eau tiède.

✱ Incorporez 1 cuillerée à soupe de sucre en poudre à 1 noix de mousse à démaquiller. Appliquez sur le visage et gommez avant que la préparation ne sèche. Rincez à l'eau tiède.

Peau grasse

✱ Faites dissoudre 1 cuillerée à soupe de sucre semoule dans 2 cuillerées à soupe de savon liquide. Massez lentement et rincez à l'eau minérale.

✱ Pour désincruster une peau épaisse et en affiner le grain, préparez un gommage en mélangeant 2 cuillerées à soupe de noix de coco râpée et 2 cuillerées à soupe de lotion astringente. Massez doucement en gestes circulaires et en évitant le contour des yeux. Rincez à l'eau minérale.

✱ Préparez un mélange en parts égales de farine de maïs et de pulpe d'avocat. Massez soigneusement, puis lavez à l'eau minérale tiède.

✱ Prélevez la chair de 1 papaye à l'aide d'une cuiller, puis appliquez-la sur le visage et le cou. Massez en douceur, puis rincez avec une lotion pour peau grasse.

✱ Si vous n'avez pas de gommage exfoliant sous la main, prenez un gant de toilette très sec et légèrement rugueux, puis frottez délicatement votre visage. Appliquez ensuite une crème hydratante.

→ Gommage du corps

* Broyez finement 50 grammes de flocons d'avoine et mélangez cette poudre à 250 grammes de savon liquide. Utilisez cette lotion avant la douche. Elle stimulera le renouvellement cellulaire de votre épiderme et activera la circulation sanguine superficielle. Votre carnation deviendra transparente, votre peau se raffermira et prendra le ton rosé et transparent d'un joli coquillage.

truc *et astuce*

Pour les courageuses : le matin, au saut du lit, boire 1 verre d'eau tiède additionnée de 1 cuillerée à café de levure de bière fraîche.

les problèmes de peau

Les affections bénignes de la peau sont parfois un véritable cauchemar.

Des remèdes simples peuvent en venir à bout.

→ Acné

À l'âge de la puberté, l'acné est malheureusement un phénomène banal. Voici, en complément d'un traitement dermatologique, quelques remèdes simples aux effets très bénéfiques.

- **Lotionnez votre visage** avec l'eau de cuisson d'une laitue ou avec de l'eau de rose.

- **En compresse ou en lotion**, les décoctions de feuilles de bardane sont rafraîchissantes et dépuratives.

- **Purifiez votre épiderme** avec une infusion de lavande ou de pensée sauvage.

- **Désinfectez votre visage** avec une lotion composée de 1 verre d'eau dans lequel vous aurez fait fondre 1 comprimé d'aspirine.

• Une infusion de baies de genièvre tiède passée délicatement avec un coton assainit et rafraîchit.

• Vous pouvez aussi préparer une lotion en faisant dissoudre 1 cuillerée à soupe de bicarbonate de soude dans un petit verre d'eau.

ACNÉ !

Un bouton d'acné débutant risque fort de vous gâcher un rendez-vous !
Appliquez dessus un glaçon durant quelques secondes, le bouton disparaîtra sans laisser de trace.
N'utilisez jamais d'eau de Cologne, de parfums ou autres produits alcoolisés, qui agressent les glandes sébacées.

→ Boutons
Vous avez prévu une sortie, mais un petit bouton vous «défigure» ? Pas de panique !

• **Appliquez un correcteur** sur votre peau soigneusement nettoyée et bien sèche, avant la crème de base. Estompez avec un bâtonnet de coton.

• **Si vous n'avez pas de produit** spécifique pour traiter le bouton, asséchez-le avec un coton imbibé de vinaigre ou de teinture d'iode décolorée.

• **Pour retrouver un teint plus clair**, appliquez une ou deux fois par semaine un masque purifiant.

→ Couperose
Les petits vaisseaux dilatés forment des marques disgracieuses. Voici deux traitements externes pour les estomper :

✷ Mettez 200 grammes de feuilles de laitue dans 1/2 litre d'eau minérale. Faites bouillir pendant 20 minutes afin d'obtenir une décoction. Filtrez et appliquez localement.

✷ Mettez 100 grammes de fleurs de mauve dans 1/2 litre d'eau minérale. Portez à ébullition durant 15 minutes.

à propos

🔹 Pour que ces traitements soient efficaces, il faut les renouveler plusieurs fois par semaine.

Pour un traitement de fond, consultez un dermatologue, qui pourra procéder à des séances d'électro-coagulation.

→ Dartres

✱ Mettez 40 grammes de camomille romaine ou de fleurs de mauve dans 1/4 de litre d'eau et laissez infuser 15 minutes. Lotionnez la peau avec cette préparation.

→ Irritations

✱ En infusion, les fleurs et feuilles d'oranger ainsi que les racines de guimauve ont des pouvoirs adoucissants.

✱ Infusé dans de l'eau minérale, le thé adoucit les peaux irritées.

✱ Remplacez votre démaquillant par de l'huile d'amande douce. Rincez à l'eau minérale.

✱ Diluez quelques gouttes d'huile essentielle de bois de rose dans de l'eau de rose. Faites des applications locales, la peau est adoucie et décongestionnée.

→ Points noirs

Ôter les points noirs est une opération déconseillée. Mais souvent la tentation est la plus forte. Dans ce cas, il est très important d'opérer avec le maximum d'hygiène et de précaution pour éviter l'infection.

✱ Dilatez les pores en plaçant votre visage au-dessus d'un bol rempli d'eau chaude pendant 5 minutes.

truc

🔹 C'est le moment idéal pour épiler vos sourcils. Les pores bien dilatés permettront de les arracher facilement, et pratiquement sans douleur.

✱ Enveloppez vos index dans des mouchoirs en papier avant d'opérer.

Ne procédez jamais avec vos ongles nus. Pressez les comédons par-dessous.

✳ Ne vous acharnez pas sur un point noir qui résiste. Il s'éliminera de lui-même après quelques gommages.

✳ Désinfectez avec un peu d'alcool à 70°, puis posez un masque astringent pour resserrer les pores.

➜ Pores dilatés

✳ Passez sur votre visage un coton imbibé de jaune d'œuf. Utilisez des lotions légèrement alcoolisées et appliquez des masques d'argile verte (voir page 47).

➜ Taches brunes

✳ Laissez poser durant 10 minutes un peu de nuoc mam que vous passerez avec un coton. Il a un pouvoir éclaircissant. Rincez à l'eau tiède.
Il faut toutefois savoir que les taches brunes ne partent pas facilement. Consultez votre dermatologue.

➜ Taches de rousseur

✳ Il est de plus en plus rare que l'on veuille les estomper, voire les éliminer. Si elles ne vous plaisent pas, essayez la lotion de fleurs de pissenlit (1 poignée dans 1 litre d'eau minérale. Faites bouillir 30 minutes).

truc

◗ En traitement de choc pour les peaux fatiguées, il existe des produits qui liftent les traits, éclaircissent le teint et donnent une mine éblouissante. Ces produits tenseurs font merveille avant une soirée, mais c'est en soins de nuit qu'ils sont les plus efficaces.

Quand vous faites un masque, évitez de vous maquiller immédiatement après. Attendez environ 2 heures, sauf s'il s'agit d'un produit «coup d'éclat».

les masques

Masques bonne mine,

masques réparateurs,

masques teint de pêche…

Puisez dans les

mille et un trésors

que recèle la nature pour

concocter des recettes

beauté magiques.

Le masque est un remède prodigieux. Il va détendre l'épiderme, le raffermir, l'embellir, lisser le teint. Il a souvent un effet tenseur immédiat, mais il ne faut pas pour autant oublier la crème de soin, qui complétera ses bienfaits.

→ Avant la pose

• **Démaquillez-vous** soigneusement, de façon que les pores ne se referment pas sur des impuretés.

• **Faites un bain de vapeur** et un gommage avant de poser le masque.

• **Rassemblez le matériel** nécessaire : coupelle ou bol en faïence (jamais d'ustensiles de métal), spatule, pinceau, éponges, coton, eau de rinçage, crème hydratante, bandeau pour les cheveux, peignoir de bain.

- **Disposez les ingrédients** à portée de main : plantes, fruits et légumes non traités, huile végétale, huiles essentielles, eau minérale, etc.

- **Assurez-vous** de ne pas être dérangée, afin de profiter de ce moment pour vous relaxer.

→ Pour un résultat parfait

- **La préparation** doit avoir la consistance d'une pâte et ne jamais être confectionnée à l'avance.

- **Appliquez votre masque** à l'heure du bain. Ainsi, il pénétrera encore mieux, grâce à la vapeur d'eau dégagée.

- **Posez le masque** en couche épaisse, en utilisant vos mains (très propres), une spatule ou un gros pinceau. Vous pouvez également étaler la préparation sur une gaze s'il s'agit de masques aux fruits ou aux légumes un peu trop liquides.

- **Évitez le contour des yeux** et de la bouche, n'oubliez pas le cou et parfois le décolleté.

- **Le temps de pose** est de 15 à 30 minutes. Mettez ce moment à profit pour vous détendre.

- **Pour retirer le masque**, utilisez de l'eau minérale, des infusions de fleurs ou de plantes, de l'eau de rose ou de fleur d'oranger, ou tout simplement de l'eau tiède. Après vous être séché le visage avec un mouchoir en papier, appliquez votre crème habituelle, hydratante ou matifiante.

à noter

De préférence, procédez à ces soins le soir. De temps en temps, gardez le masque toute la nuit, protégez l'oreiller avec une serviette-éponge. Au matin, vous vous réveillerez avec une peau de bébé.

→ Peau normale

✳ Mélangez 1 sachet-dose de tisane de tilleul avec 1 cuillerée à soupe de miel tiédi. Appliquez sur l'épiderme : laissez agir 15 minutes, puis rincez à l'eau tiède. Tonifiez avec une brumisation d'eau minérale.

✳ Videz un sachet-dose de tisane de tilleul-menthe, de camomille ou d'oranger dans un bol. Mouillez légèrement de lotion tonique et étalez sur la peau. Gardez 20 minutes, puis rincez et brumisez d'eau minérale.

✳ Lavez et épluchez 1 pêche bien mûre et 1 abricot doré à point. Écrasez-les à la fourchette, puis mélangez soigneusement. Appliquez la préparation sur votre visage. Laissez ce masque 20 minutes, puis rincez à l'eau fraîche. La pêche et l'abricot contiennent des vitamines A et C, qui affinent le grain de la peau.

✳ Épluchez 1/2 petit ananas et enlevez-en le cœur. Réduisez la chair en purée à l'aide d'un mixeur. Appliquez cette pulpe sur le visage et le cou, avec un gros pinceau. Retirez après une pose de 30 minutes et brumisez d'eau minérale.

✳ Réduisez en purée 1 pêche préalablement pelée. Gardez ce masque une vingtaine de minutes. Retirez à l'eau tiède et brumisez à l'eau minérale.

✳ Écrasez en purée 4 mirabelles. Appliquez sur la peau. Gardez ce masque une vingtaine de minutes. Retirez à l'eau tiède et tonifiez par une brumisation d'eau minérale.

✳ Passez au mixeur les grains de 1 grappe de raisin. Étalez la préparation sur la peau avec un pinceau large. Laissez poser 30 minutes, puis rincez à l'eau tiède.

✳ Mélangez 4 cuillerées à café de farine de sarrasin avec 1 cuillerée à soupe de miel préalablement fondu dans 3 cuillerées à soupe de lait chaud. Ajoutez 1 cuillerée à café d'huile d'olive et 2 cuillerées à café de jus de citron. Appliquez sur le visage et laissez agir 20 minutes. Rincez à l'eau tiède.

✶ Écrasez 1 banane bien mûre. Ajoutez 2 cuillerées à café d'huile d'olive ou d'amande douce et 1 cuillerée à café de farine. Gardez ce masque pendant 20 minutes, puis rincez à l'eau tiède.

✶ Mélangez 1 yaourt nature au lait entier et 2 cuillerées à soupe de miel. Gardez ce masque une quinzaine de minutes, puis rincez à l'eau tiède.

✶ Hachez finement des feuilles de laitue préalablement bouillies et mélangez-les avec 1 cuillerée à soupe d'huile d'olive. Au bout de 20 minutes, rincez avec l'eau de cuisson de la salade.

✶ Passez au mixeur 1 cuillerée à soupe de graines de fenouil. Incorporez 1 blanc d'œuf battu en neige. Appliquez sur le visage et le cou, puis laissez 15 minutes. Terminez par un massage à l'huile d'olive et rincez à l'eau tiède.

✶ Malaxez 1 noix de beurre doux avec 1 cuillerée à café d'eau de rose tiédie. Étalez largement sur la peau, sans oublier les lèvres et le cou, puis lotionnez à l'eau de rose.

→ **Peau sèche**

✶ Écrasez 1 pomme de terre et 1 tomate cuites. Appliquez la pâte tiède sur le visage et le cou. Environ 10 minutes après, le masque doit se craqueler. Après 20 minutes de pose, rincez doucement à l'eau tiède, puis appliquez une bonne crème hydratante.

✶ Passez au mixeur 1 tranche de melon et 1 cuillerée à café de miel. Badigeonnez le visage et le cou avec un pinceau souple. Au bout de 20 minutes, rincez à l'eau tiède.

✶ Mélangez 1 cuillerée à soupe de miel, 3 cuillerées à soupe de fromage blanc et 3 cuillerées à café de crème fraîche. Étalez et gardez 20 minutes. Rincez à l'eau tiède et brumisez avec de l'eau minérale.

✳ Appliquez sur l'épiderme 1 jaune d'œuf battu avec 1 cuillerée à café d'huile d'olive. Gardez 20 minutes et retirez à l'eau tiède.

✳ À l'aide d'une fourchette, réduisez en pâte la chair de 1/2 avocat. Incorporez 10 gouttes d'huile d'amande douce ou 1 cuillerée à café d'huile d'olive. Appliquez sur votre visage et votre cou. Gardez 20 minutes, puis rincez à l'eau de fleur d'oranger. Faites ce masque une fois par semaine.

✳ Incorporez 2 cuillerées à soupe d'amandes en poudre à 1 cuillerée à café de glycérine, ajoutez 1 filet d'huile d'olive et appliquez sur le visage. Laissez 20 minutes et rincez. Ce masque nourrit et assouplit. Vous pouvez aussi l'utiliser sur vos mains, pour les blanchir et les adoucir.

✳ Mélangez 1 cuillerée à soupe de miel d'acacia, 2 cuillerées à soupe de glycérine, 1 goutte d'huile essentielle de benjoin et 1 goutte d'huile essentielle d'hamamélis. Posez sur le visage

et le cou en couche épaisse. Conservez ce masque 30 minutes avant de le rincer à l'eau tiède.

✳ Lavez 100 grammes de framboises et séchez-les dans un torchon. Écrasez-les en purée avec une fourchette. Appliquez sur le visage. Le temps de pose est de 30 minutes. Rincez à l'eau minérale.

✳ Pressez 1 orange et versez-en le jus dans 2 cuillerées à soupe de poudre de noisettes, d'amandes ou de noix. Mettez la préparation dans une gaze et appliquez ce masque sur le visage et le cou. Après 20 minutes, retirez à l'eau tiède.

✳ Hachez finement 1 feuille de chou préalablement lavée et mélangez-la à 1 cuillerée à soupe d'huile d'olive. Laissez poser une vingtaine de minutes, puis rincez à l'eau tiède.

✳ Faites cuire 5 minutes 1 pomme – non pelée, mais dont vous aurez retiré le cœur et les pépins – dans 1 verre de lait entier, 1 cuillerée à soupe d'huile d'olive et 1 cuillerée à soupe de farine. Écrasez la pomme en purée à la fourchette ou, mieux, au mixeur. Appliquez sur les parties sèches irritées par le sel et le soleil. Gardez 30 minutes et rincez à l'eau tiède.

✳ Épluchez et épépinez 1 grosse pomme, coupez-la en petits dés et faites cuire quelques minutes dans 1 tasse de lait. Écrasez la pulpe dans le lait et appliquez-la sur le visage avec un pinceau.

✳ Mélangez 2 cuillerées à soupe de fécule de pomme de terre et 2 cuillerées à soupe de crème fraîche. Laissez poser 20 minutes et rincez à l'eau de rose.

✳ Montez 1 blanc d'œuf en neige et ajoutez peu à peu un filet d'huile d'amande douce. Appliquez cette crème du bout des doigts. Gardez ce masque 15 minutes, puis rincez avec une infusion de tilleul. A renouveler chaque semaine.

✳ Pour avoir une peau de bébé, mélangez 1/2 verre de lait chaud, 4 cuillerées à soupe de farine, 1 cuillerée à soupe de miel liquide et 1 cuillerée à soupe d'huile d'olive. Appliquez en couche épaisse et gardez 20 minutes. Rincez à l'eau minérale.

✳ Épluchez, épépinez et mixez 1 pomme crue. Mélangez la pulpe avec 1 cuillerée à café de crème fraîche. Étalez cette préparation sur le visage et le cou. Conservez pendant 20 minutes et retirez à l'eau de rose.

✳ Écrasez 1 banane et incorporez 1 cuillerée à café d'huile d'amande douce ou de miel liquide. Étalez et gardez 30 minutes. Rincez à l'eau tiède.

✳ Lavez et pelez 2 gros abricots bien mûrs et écrasez-les à la fourchette. Appliquez cette préparation sur le visage et le cou. Laissez agir 20 minutes, puis rincez à l'eau fraîche. Renouvelez l'opération chaque semaine pendant 6 semaines.

→ Peau grasse

✳ Battez 1 œuf en omelette, ajoutez 1 cuillerée à café de rhum et 1 filet de jus de citron. Appliquez sur le visage et le cou à l'aide d'un pinceau large. Retirez 20 minutes après, à l'eau tiède. Tonifiez en brumisant de l'eau minérale fraîche.

✳ Mélangez 2 cuillerées à soupe de levure de bière, 1 jaune d'œuf, 1 cuillerée à café d'huile d'olive et quelques gouttes d'eau de rose. Étalez sur le visage avec un pinceau large. Gardez 20 minutes, puis rincez à l'eau minérale. Ce masque convient très bien aux peaux grasses qui présentent des pores dilatés.

✳ Écrasez 3 fraises ou 2 abricots, ajoutez 1 cuillerée à soupe de crème fraîche ou de miel. Étalez sur le visage et le cou et laissez agir 30 minutes. Rincez à l'eau minérale, puis faites une pulvérisation d'eau minérale.

✳ Mélangez la chair de 3 figues avec 3 cuillerées à café rases de fécule de pomme de terre et quelques gouttes de jus de citron. Appliquez sur le visage et le cou, laissez agir 15 minutes. Rincez avec un tonique ou de l'eau de rose.

✳ Confectionnez un masque rapide en additionnant quelques gouttes de jus d'orange, de citron ou de pamplemousse à un jaune d'œuf battu. Temps de pause : 15 minutes. Rincez à l'eau minérale ou à l'eau de rose.

✳ Confectionnez un masque avec 2 cuillerées à soupe de jus de pamplemousse, 2 cuillerées à soupe de yaourt et 2 cuillerées à soupe de farine de froment. Appliquez au pinceau ou à la spatule. Retirez au bout de 20 minutes, avec de l'eau tiède. Ce masque convient bien aux peaux ayant tendance aux rougeurs.

✳ Avec une spatule, étalez 1 blanc d'œuf battu en neige dans lequel vous aurez incorporé 1 cuillerée à soupe d'eau de lavande ou 1/2 concombre mixé. Gardez 30 minutes, puis rincez à l'eau tiède.

✳ À 1 blanc d'œuf battu en neige, incorporez 2 cuillerées à soupe de farine d'orge ou de maïs. Étalez sur le visage. Quand le masque est devenu dur, enlevez-le délicatement avec un linge fin et sec, puis rincez à l'eau froide.

✳ Mélangez 2 cuillerées à soupe de crème fraîche avec le jus de 1/2 orange. Étalez la préparation sur le visage et rincez à l'eau tiède au bout de 20 minutes.

✳ Mélangez 2 cuillerées à soupe de miel, 1 blanc d'œuf et 1 cuillerée à café de jus de citron. Gardez le masque 30 minutes. Rincez à l'eau de rose.

✳ Mélangez le jus de 1/2 concombre avec 2 cuillerées à soupe de lait. Étalez. En séchant, cette lotion formera un masque qu'il faut garder environ 30 minutes. Le retirer à l'eau tiède.

✳ Mélangez 1 cuillerée à soupe d'argile blanche, 2 cuillerées à soupe d'eau de fleur d'oranger ou d'eau de rose, 1/2 cuillerée à café d'huile de germe de blé et 3 gouttes d'huile essentielle de lavande. Appliquez en couche épaisse. Après 30 minutes de pose, rincez à l'eau tiède.

✳ Délayez 2 cuillerées à soupe d'argile verte très fine dans une infusion de thym ou de camomille. Ajoutez quelques gouttes d'huile d'amande douce. Appliquez au pinceau. Laissez poser 20 minutes, puis retirez à l'eau tiède.

✳ Mélangez 1 cuillerée à soupe de pulpe de tomate et 2 cuillerées à soupe de poudre d'argile verte, jusqu'à obtention d'une pâte homogène. Si elle semble trop compacte, ajoutez quelques gouttes d'eau minérale. Appliquez le mélange sur le visage, en évitant le contour des yeux. Après 15 minutes de pose, rincez abondamment à l'eau fraîche. Ce masque resserre les pores dilatés.

✳ Mixez 1 clémentine, ajoutez 1 cuillerée à café de miel de lavande. Appliquez sur la peau. Gardez 15 minutes, puis retirez à l'eau tiède.

✱ Mélangez 1 cuillerée à soupe de purée d'amandes avec 1 cuillerée à soupe d'huile d'olive ou de maïs. Gardez ce masque 20 minutes, puis lotionnez avec un tonique à l'hamamélis.

✱ Mélangez 1 cuillerée à soupe de fleurs de mauve avec 1 cuillerée à soupe de miel liquide. Appliquez sur le visage. Laissez ce masque 20 minutes, puis rincez avec un tonique très doux.

✱ Coupez 1 tomate en tranches fines, appliquez les tranches à plat sur la peau. Allongez-vous 30 minutes. Ce masque convient aux peaux grasses, qu'il tonifie, et aux peaux rugueuses, qu'il adoucit. Rincez avec de l'eau minérale citronnée.

✱ Mixez 1 tranche de melon. Ajoutez 1 cuillerée à café de miel liquide et 1 cuillerée à café d'huile d'amande douce. Étalez sur la peau. Conservez ce masque 20 minutes, puis rincez à l'eau tiède.

✱ Mélangez 1 cuillerée à soupe de miel et 1 cuillerée à soupe d'eau de fleur d'oranger. Après un temps de pose de 15 minutes, retirez avec un tampon imbibé de lotion tonifiante.

✱ Faites une infusion avec 1 poignée de feuilles de menthe verte dans 1 litre d'eau Appliquez les feuilles refroidies sur votre visage. Après 20 minutes de pose, lotionnez avec l'eau de l'infusion.

✱ Mélangez 1 cuillerée à soupe de thym en poudre et 2 cuillerées à soupe de décoction de sureau, bleuet, hamamélis ou fleur d'oranger tiède. Étalez sur le visage. Gardez ce masque 15 minutes, puis rincez.

✱ Mélangez 2 cuillerées à soupe de jus de pomme et 100 grammes de pulpe de melon écrasée. Appliquez cette préparation sur le visage et le cou. Laissez agir 30 minutes et rincez à l'eau minérale.

→ **Peau mixte**

✱ Coupez 1 citron en quartiers, retirez les pépins. Passez au mixeur et mélangez 1 jaune d'œuf à la purée obtenue. Partagez cette préparation en deux parts égales. Ajoutez 1 filet d'huile d'olive à l'une des deux, et mélangez. Sur les parties sèches de votre visage, appliquez le masque à l'huile ; sur le reste du visage, étalez la préparation initiale.

✳ Mixez 1 banane bien mûre. Répétez l'opération avec 1/4 d' ananas. À l'aide d'un pinceau, étalez la purée de banane sur les parties sèches de votre visage. Sur le reste du visage, appliquez la pulpe d'ananas. Laissez agir 20 minutes, puis rincez avec l'eau de rose ou de fleur d'oranger.

➜ Peau sénescente

✳ Demandez à votre herboriste ou à votre pharmacien de préparer ce mélange : 20 grammes de feuilles de thym, 20 grammes de feuilles d'ortie, 20 grammes de feuilles de cerfeuil, 10 grammes de feuilles de sarriette, 10 grammes de fleurs de camomille romaine. Mixez 2 cuillerées à soupe de ce mélange, puis versez la poudre dans un bol et délayez-la avec de l'infusion de verveine afin d'obtenir une pâte onctueuse. Appliquez sur le visage et laissez agir 30 minutes, puis rincez avec le reste d'infusion.

✳ Lavez rapidement 1 poignée de framboises bien mûres. Mixez-les et badigeonnez votre visage avec cette pulpe revitalisante. Gardez le plus longtemps possible et rincez avec une lotion de cerfeuil.

✳ Faites fondre au bain-marie 30 grammes de cire blanche, ajoutez 50 grammes d'oignon de lis en poudre, 15 grammes de miel et 3 cuillerées à café d'eau de rose. Mélangez bien. Appliquez sur le visage, gardez 30 minutes et rincez à l'eau tiède.

✳ Lavez soigneusement 1 poignée d'algues et mixez-les. Étalez sur le visage. Après 15 minutes de pose, rincez à l'eau minérale.

✳ Mettez 10 gouttes d'huile essentielle de carotte dans 1 cuillerée à soupe de miel de lavande. Le soir après la toilette, appliquez ce masque sur le visage et le cou. Laissez reposer pendant 20 minutes. Rincez à grande eau fraîche.

✳ Dans un bol, mélangez soigneusement 1 cuillerée à soupe de jus de citron ou d'orange et 2 cuillerées à soupe de miel. Remuez afin d'obtenir une pâte homogène. Étalez sur le visage en massant bien les zones du front, du nez, et du menton. Gardez ce masque 10 minutes et rincez à l'eau minérale.

✳ Délayez 2 cuillerées à soupe d'argile verte avec un peu d'eau de rose, 1 cuillerée à café d'huile d'amande douce et 10 gouttes de jus de citron. Appliquez et gardez 10 minutes. Retirez à l'eau minérale. À faire tous les 15 jours.

✳ Dans un bol, mettez 1 cuillerée à café de miel d'acacia, 1 cuillerée à café de farine de seigle, 1 cuillerée à café d'huile d'amande douce et 1 jaune d'œuf très frais. Mélangez bien, puis appliquez sur votre visage.

Laissez agir 20 minutes avant de rincer avec une infusion préparée ainsi : faites infuser 20 minutes 2 cuillerées à soupe de fleurs de tilleul dans 1/2 litre d'eau minérale bouillante. Filtrez avec soin et laissez refroidir. Faites un masque hebdomadaire pendant 4 à 6 semaines.

✳ Incorporez à 1 yaourt entier la pulpe écrasée de 1/2 mangue ou de 1 pêche. Gardez 20 minutes, puis rincez à l'eau tiède.

✳ Mixez 1 cuillerée à café de levure avec 50 grammes de fromage blanc et 1 cuillerée à café de miel. À l'aide d'un pinceau, étalez sur le visage. Laissez un temps de pose de 30 minutes, puis rincez à l'eau minérale.

✳ Pelez 2 prunes, écrasez-les à la fourchette et mélangez-les à 1 blanc d'œuf battu en neige. Appliquez sur le visage avec un pinceau et laissez sécher 20 minutes. Rincez à l'eau tiède.

✳ Écrasez à la fourchette 3 fraises bien mûres, lavées à l'eau citronnée.

Ajoutez 1 cuillerée à soupe de miel liquide. Mélangez soigneusement avant d'appliquer sur le visage. Gardez 20 minutes. Rincez ensuite avec une infusion de thym.

✶ Mixez la chair de 1 banane bien mûre avec 1 jaune d'œuf et 1 cuillerée à soupe d'huile d'amande douce. Appliquez et gardez 20 minutes. Rincez à l'eau tiède.

✶ Faites préparer ce mélange par votre herboriste : 20 grammes de feuilles de romarin, 20 grammes de fleurs de mauve, 10 grammes de feuilles d'ortie, 10 grammes de feuilles de verveine odorante, 10 grammes de graines de fenouil. Dans un mixeur, réduisez en poudre la valeur de 2 cuillerées à soupe de ce mélange. Délayez avec du lait démaquillant afin d'obtenir une pâte onctueuse. Appliquez ce masque sur le visage et le cou. Laissez poser 20 minutes, puis rincez à l'eau tiède.

✶ Mélangez en parts égales de la levure de bière et de l'huile d'amande douce. Étalez sur la peau et laissez poser 15 minutes.

✶ Un soir par semaine, appliquez ce masque riche en vitamine A. Coupez en deux 1 avocat bien mûr. Prélevez la chair et écrasez-la dans un bol. Ajoutez 1 filet de jus de citron et 1 œuf entier battu en omelette. Mélangez bien. Appliquez la pâte obtenue à l'aide d'un gros pinceau. Laissez agir 15 minutes. Retirez avec un papier absorbant et faites une vaporisation d'eau minérale.

✶ Dans une casserole, mettez 3 cuillerées à soupe d'huile d'olive et 3 belles feuilles de laitue hachées. Chauffez à feu doux pendant 5 minutes. Appliquez la préparation tiède sur le visage. Laissez 15 minutes, puis rincez.

→ **Effet lifting**

✶ Montez 1 blanc d'œuf en neige ferme et étalez-le au pinceau sur le visage et le cou. Laissez agir 20 minutes, puis essuyez avec un mouchoir en papier et rincez à l'eau minérale.

Attention : faites ce masque deux fois par mois seulement, car il a tendance à dessécher la peau.

✳ Préparez une pâte en mélangeant 1 blanc d'œuf, 1 cuillerée à café de miel et 1 cuillerée à café d'huile d'olive. Lorsque le masque commence à «tirer», rincez abondamment. N'oubliez pas de bien hydrater votre peau ensuite, car ce masque est un peu desséchant

➜ Régénérants après-soleil

✳ Faites bouillir pendant 10 minutes 200 grammes de feuilles de pimprenelle dans 1/2 litre d'eau. Laissez tiédir. Dans un bol, mélangez 1 cuillerée à café de levure de bière, 1 cuillerée à café d'huile de germe de blé, 3 cuillerées à café de farine d'avoine et 2 cuillerées à café de feuilles de pimprenelle hachées. Mouillez avec la décoction. Étalez en couche épaisse. Gardez 10 minutes et rincez à l'eau tiède.

✳ Mélangez 1 cuillerée à soupe de yaourt ou de crème fraîche, 1 cuillerée à café de miel, 1 cuillerée à soupe de pêche écrasée, 1 cuillerée à café d'huile de noyau d'abricot, 3 gouttes d'huile essentielle de rose. Laissez poser 20 minutes, puis rincez à l'eau de fleur d'oranger.

✳ Mélangez la pulpe de 1 avocat avec 1 cuillerée à soupe d'huile d'olive (ou de crème de jour). Appliquez, laissez 20 minutes et rincez à l'eau tiède.

✳ Pour atténuer un coup de soleil, pilez 1 gousse d'ail dans 4 cuillerées à soupe d'huile d'olive. Appliquez sur la peau et conservez une dizaine de minutes. Rincez à l'eau de fleur d'oranger.

truc
◆ Si vous avez un coup de soleil, râpez 1 pomme de terre crue, faites un cataplasme en l'étalant entre deux morceaux de gaze et appliquez sur le visage. Le soulagement sera rapide.

✳ Mixez 1 tranche de melon ou 1/2 concombre et appliquez sur le visage et les parties rougies par le soleil. Gardez 30 minutes, puis rincez à l'eau fraîche ou à l'eau de fleur d'oranger.

✳ Malaxez 1 cuillerée à café d'argile blanche, 1 cuillerée à café de racine de consoude et 1 cuillerée à café de poudre de romarin avec 1 cuillerée à soupe d'huile de germe de blé. Laissez poser 20 minutes, puis rincez à l'eau minérale.

✳ Hachez un mélange de 50 grammes de feuilles de verveine, de romarin, de menthe. Ajoutez 50 grammes d'argile blanche. Incorporez cette préparation à 1 jaune d'œuf. Appliquez ce masque sur le visage. Gardez 20 minutes et rincez avec de l'eau additionnée de 1 filet de citron.

✳ Ôtez le cœur de 1 pomme sans l'éplucher. Faites-la cuire dans 1 verre de lait entier avec 1 cuillerée à café de farine. Écrasez en purée et appliquez sur les zones échauffées. Laissez poser 20 minutes, puis rincez à l'eau de fleur d'oranger.

✳ Mélangez 1 cuillerée à soupe d'amidon et un peu d'eau tiède. Appliquez cette pâte sur les rougeurs durant 15 minutes. Rincez à l'eau minérale.

→ Contre le masque de grossesse

✳ Mélangez intimement 1 cuillerée à soupe de crème fraîche et 1 cuillerée à soupe de pulpe de fraises bien mûres. Étalez en couche épaisse sur le visage et le cou. Laissez poser 20 minutes, puis rincez avec de l'eau de rose. Brumisez d'une infusion de tilleul tiède.

→ Spécial décolleté

✳ Mélangez 1 cuillerée à soupe de yaourt entier, 1 cuillerée à soupe de levure de bière, 1 cuillerée à café d'huile d'olive et le jus de 1/2 citron. Étalez en couche épaisse. Laissez poser 15 minutes puis rincez à l'eau de fleur d'oranger. À faire une fois par semaine pour hydrater et tonifier l'épiderme.

✳ Mélangez 1 blanc d'œuf battu en

neige, 1 cuillerée à café de miel, 1 cuillerée à café de jus de citron et 2 cuillerées à soupe de farine. Appliquez du cou jusqu'à la poitrine. Laissez reposer 20 minutes, puis massez doucement et longuement l'épiderme pour obtenir un effet exfoliant. Rincez à l'eau tiède.

→ Masques bonne mine

✳ Faites un masque avec 1/2 yaourt, 2 cuillerées à soupe de levure de bière et 1 cuillerée à café d'huile de germe de blé. Laissez 20 minutes, massez et rincez à l'eau tiède.

✳ Mélangez soigneusement 1 cuillerée à soupe de crème fraîche, 1 cuillerée à café de miel de tilleul, 10 gouttes d'huile d'onagre et 1/2 pêche mixée. Appliquez sur le visage et le cou. Laissez agir 20 minutes, puis rincez à l'eau tiède.

✳ Faites sécher des graines de melon et de concombre, puis réduisez-les en poudre. Mélangez 1 cuillerée à dessert de chacune avec un peu de lait entier ou de crème fraîche pour obtenir une pâte épaisse. Appliquez sur le visage et gardez environ 30 minutes. Essuyez soigneusement et rincez à l'eau de rose.

✳ Pelez 1 orange et mixez la chair. Appliquez cette préparation sur votre visage pendant une dizaine de minutes. L'orange est riche en vitamines B, C et provitamine A.

✳ Faites préparer ce mélange par un herboriste ou un pharmacien : 20 grammes de feuilles de basilic, 20 grammes de fleurs de guimauve, 20 grammes de feuilles de menthe, 20 grammes de feuilles de romarin. Réduisez en poudre, puis délayez 2 cuillerées à soupe de ce mélange dans un peu de lait démaquillant, afin d'obtenir une pâte onctueuse. Incorporez 10 gouttes d'huile de germe de blé. Appliquez cette pâte sur le visage, en évitant le contour des yeux et des lèvres. Laissez agir 20 minutes, puis rincez abondamment à l'eau fraîche.

✳ Râpez 2 belles carottes pelées,

ajoutez 3 cuillerées à café d'huile d'amande douce. Appliquez sur le visage et le cou, et gardez une dizaine de minutes avant de rincer à l'eau tiède.

✳ En purée, dans une mousseline, ou appliquée directement sur la peau, la pulpe de melon rafraîchit et donne de l'éclat.

✳ Dans un bol, mettez 1 cuillerée à soupe de jus de citron et 2 cuillerées à soupe de miel. Mélangez afin d'obtenir une pâte homogène. Étalez sur le visage en massant bien les zones du front, du nez et du menton. Gardez ce masque 10 minutes et rincez à l'eau minérale.

→ Peau à problèmes

Contre les points noirs

✳ Deux fois par semaine, enduisez votre visage de miel tiède. Laissez jusqu'à complet refroidissement, puis enlevez avec une serviette humide. Passez ensuite un glaçon sur la peau pour refermer les pores.

✳ Fouettez ensemble 2 cuillerées à soupe de farine de maïs et 1 blanc d'œuf. Appliquez cette crème sur le visage et le cou à l'aide d'un pinceau, en évitant le contour des yeux et des lèvres. Laissez sécher 20 minutes, puis retirez à l'eau minérale.

✳ Mettez dans une coupelle 4 cuillerées à soupe d'argile blanche. Ajoutez de l'eau froide jusqu'à obtention d'une pâte crémeuse homogène, mais pas trop liquide. Avec un pinceau, appliquez la pâte sur les zones à problèmes (front, nez, menton). Évitez le fragile contour des yeux et de la bouche. Laissez agir 30 minutes, puis rincez à l'eau tiède. Faites ce masque une fois par semaine.

Contre l'acné

✳ Pelez et râpez finement 100 grammes de carottes. Versez dessus 2 cuillerées à soupe d'eau de rose, 1 cuillerée à soupe de glycérine, 2 cuillerées à soupe de kaolin. Ajoutez quelques gouttes de jus de citron et malaxez bien, afin d'obtenir une pâte homogène. Une variante consiste à exprimer le jus des carottes avant de le mélanger aux autres ingrédients. Appliquez largement avec un pinceau, en évitant les lèvres et le contour des yeux. Laissez agir 20 minutes, puis rincez à l'eau tiède.

✱ Délayez 2 cuillerées à soupe d'amidon dans 1 ou 2 cuillerées à soupe d'eau de rose et quelques gouttes d'essence de bergamote. Après une pose de 15 minutes, rincez avec un tonique astringent.

✱ Délayez 2 cuillerées à soupe de levure de bière dans 1 yaourt, puis ajoutez de l'eau de rose afin d'obtenir une pâte élastique s'étalant facilement. Gardez 20 minutes sur le visage et rincez à l'eau de rose.

✱ Mélangez 1 cuillerée à soupe d'argile verte avec 1 cuillerée à soupe de jus de tomate frais et 1 cuillerée à soupe d'infusion de thym. Appliquez la préparation sur le visage et le cou, en évitant le contour des yeux et de la bouche. Retirez ce masque à l'eau mi-nérale dès que la peau tire, signe que l'argile est sèche. Faites ce traitement une fois par semaine.

truc

◆ L'argile verte surfine a de grandes propriétés purifiantes. Elle absorbe l'excès de sébum et nettoie l'épiderme en profondeur. Pour préparer l'argile, n'utilisez que des ustensiles en bois et des récipients en porcelaine, faïence, verre. Jamais de métal.

Pour resserrer les pores dilatés

✱ Mélangez 3 ou 4 cuillerées à café de levure de bière avec un peu d'eau minérale, jusqu'à obtention d'une pâte épaisse. Appliquez sur le visage, laissez poser 20 minutes avant de rincer.

✱ Pressez 1 orange, mélangez le jus avec de l'eau de rose à raison d'un tiers du volume de jus obtenu. Tamponnez le visage avec cette lotion.

Laissez agir une vingtaine de minutes, puis rincez.

* Prenez des graines de concombre, potiron et melon en parts égales. Réduisez-les en poudre et délayez 1 cuillerée de cette poudre dans 1 cuillerée à soupe de lait ou de crème fraîche. Gardez ce masque 1 heure, puis lavez à l'eau de rose.

* Montez en neige 1 blanc d'œuf. Ajoutez quelques gouttes de jus de citron. Appliquez sur le visage. Gardez le masque une dizaine de minutes, puis retirez-le avec de l'eau minérale.

* Lavez et épluchez 1 pêche blanche bien mûre. Réduisez sa chair en purée. Ajoutez 10 gouttes d'huile d'amande douce. Gardez ce masque 30 minutes, puis rincez à l'eau minérale.

Contre les boutons

* Appliquez sur le visage des feuilles de cresson préalablement bouillies. Gardez 20 minutes, puis rincez avec de l'eau de cuisson.

* Mélangez 2 cuillerées à soupe de levure de bière et 2 cuillerées à soupe d'eau de fleur d'oranger pour obtenir une pâte épaisse. Appliquez au pinceau. Après 20 minutes de pose, rincez à l'eau de fleur d'oranger.

* Mélangez le jus de 3 tomates et de 1 citron. Appliquez ce mélange sur le visage le soir avant le coucher, au moins trois fois par semaine. Laissez agir 30 minutes, puis rincez à l'eau tiède.

Contre les rougeurs et les irritations

* Incorporez à 1/2 verre d'infusion concentrée de camomille 1 cuillerée à soupe d'argile verte, jusqu'à obtenir une crème épaisse. Appliquez ce masque sur le visage, puis recouvrez-le d'une gaze humide pour l'empêcher de sécher trop vite. Laissez poser une vingtaine de minutes, puis rincez avec de l'infusion de camomille.

* Mélangez 2 cuillerées à soupe de farine d'orge, 1 cuillerée à café de miel et 1 blanc d'œuf battu en neige.

Gardez 30 minutes, puis rincez à l'eau minérale.

Contre la couperose

✳ Appliquez sur les parties couperosées des feuilles de laitue que vous aurez fait cuire 5 minutes dans un peu d'eau minérale. Laissez agir 20 minutes, puis lotionnez avec l'eau de cuisson tiède.

✳ Mixez 1 oignon cuit, 1 tasse de lait, 1 cuillerée à café de miel et 2 cuillerées à soupe d'eau de rose. Badigeonnez le visage de cette préparation. Laissez agir 15 minutes, puis rincez. À faire une fois par semaine.

Contre les gerçures et les engelures

✳ Délayez 2 cuillerées à café de miel et 2 cuillerées à café de glycérine dans le jus de 1/2 citron. Appliquez et gardez 30 minutes, puis rincez.

✳ Dans un bol, mettez 1 cuillerée à café de jus de citron et 1 cuillerée à café de jus de pamplemousse. Incorporez 1 cuillerée à soupe de miel liquide et 1 cuillerée à soupe de décoction de séneçon. Étalez au pinceau. Laissez poser 15 minutes, puis rincez à l'eau minérale.

✳ Écrasez finement la chair de 1 tranche de melon bien mûr. Ajoutez 2 cuillerées à soupe de crème fraîche et 2 cuillerées à café de farine tamisée. Gardez 20 minutes, puis rincez à l'eau tiède.

✳ Coupez 1 mangue en deux, puis passez la chair du fruit sur votre visage et vos mains. Laissez sécher, puis rincez à l'eau tiède.

✳ Écrasez 1 banane et incorporez 1 cuillerée à café de miel d'acacia. Ajoutez quelques gouttes d'huile d'amande douce. Appliquez et conservez ce masque 30 minutes, puis rincez à l'eau tiède.

✳ Mélangez au bain-marie 2 centilitres d'eau et 20 grammes de fécule de pomme de terre. Ajoutez peu à peu

1 cuillerée à café de glycérine et autant d'huile de noisette. Appliquez cette préparation en couche épaisse, laissez reposer au moins 30 minutes, puis rincez à l'eau tiède.

✳ Râpez 1 pomme de terre pelée et incorporez 1/2 cuillerée à café d'huile d'amande douce (ou de germe de blé). Appliquez en couche épaisse et laissez agir 30 minutes. Renouvelez l'opération deux ou trois fois par semaine.

Contre les dartres

✳ Passez au mixeur 1 morceau de potiron préalablement coupé en petits dés. Ajoutez à la purée obtenue 1 cuillerée à café d'huile d'amande douce ou d'olive. Appliquez ce masque sur le visage et laissez agir 20 mi-nutes, puis rincez à l'eau minérale.

✳ Faites une purée épaisse en mixant 3 cuillerées à soupe de haricots secs cuits et 1 cuillerée à café d'huile d'amande douce. Appliquez ce masque en insistant sur les dartres et gardez durant 15 minutes avant de rincer.

✳ Écrasez la chair de 1 pomme de terre cuite et incorporez 10 gouttes d'huile d'olive. Laissez agir durant 15 minutes, puis massez avec un peu d'huile d'olive.

TRUC

Les masques de purée d'épinards appliqués deux fois par semaine font disparaître les dartres.

Les meilleurs moments pour pratiquer vos massages sont avant de sortir, pour estomper les traces de fatigue, et le soir, avant le coucher, sur une peau soigneusement démaquillée.

les massages bien-être

Le massage, pratiqué en douceur, apaise les tensions et procure une merveilleuse sensation de bien-être, tout en retardant les effets du vieillissement.

→ Tête et cou

Un simple massage stimule la microcirculation, renforce l'efficacité de la crème de soin, détend les muscles et chasse le stress.

● **Massez doucement l'épiderme** du bout des doigts en effectuant des mouvements ascendants.

● **Lissez votre front**, vos pommettes, vos joues. Terminez par un tapotement sur tout le visage, qui activera la circulation sanguine et lymphatique.

● **Ces manipulations** ne vous demanderont que quelques minutes chaque jour et vous apporteront de réels bienfaits : traits reposés et jolie carnation.

Massages stimulants

● **Placez vos index** sur les ailes du nez et pressez assez fort. Relâchez.

● **Appuyez vos pouces** dans les coins internes de l'œil et relâchez lentement.

● **À l'endroit le plus saillant** de vos pommettes, appuyez avec trois doigts durant 5 secondes.

Massages détente

● **Assise confortablement**, le dos bien droit, placez trois doigts de chaque main sur votre menton. Effectuez de légères pressions de bas en haut, lentement. Lissez ensuite l'épiderme sur les côtés, sans appuyer.

● **Exercez des pressions** circulaires et ascendantes le long du sillon allant de la lèvre supérieure à la base du nez.

● **En partant du nez**, massez chaque côté des narines jusqu'à la commissure des lèvres.

● **Le massage du cuir chevelu** est relaxant. Coudes sur la table, appuyez le bout des doigts sur le crâne et faites bouger doucement la peau.

Massages coup d'éclat

● **Après une journée mouvementée**, effleurez les joues en remontant vers les tempes, lissez le front et finissez par le cou, en descendant jusqu'au décolleté.

● **Pour avoir une jolie carnation**, activez la circulation sanguine par de petits pincements entre le pouce et l'index. Raffermissez l'ovale du visage avec le dos de la main. Lissez délicatement vos traits avec une onctueuse crème de jour, du bout des doigts, en allant du centre du visage vers les côtés, sans oublier le front.

truc

◖ Démoulez deux bacs de glaçons dans votre lavabo et faites couler l'eau. Lorsqu'elle est bien glacée, aspergez votre visage une dizaine de fois, puis essuyez avec un mouchoir en papier. Bonne mine garantie durant au moins 6 heures.

🌢 Essayez aussi la miraculeuse recette glaçons + ampoule coup d'éclat.

🌢 N'appliquez jamais les glaçons directement sur la peau, sous peine d'irritations ou de brûlures.

Massages pour les paupières

● **Étirez les paupières** supérieures vers les tempes en tirant légèrement les sourcils du bout des doigts. Étirez les paupières inférieures vers le bas et les côtés en appuyant doucement sur le globe oculaire. Recommencez cinq fois.

● **Les pouces en appui** sous le menton, pressez index et majeurs sur le coin externe des yeux. Fermez, puis ouvrez les yeux en maintenant la pression pour faire résistance. Vous sentirez alors une légère contraction. Répétez vingt fois.

● **Posez le pouce et l'index** de part et d'autre du sourcil et, en partant du coin interne de l'œil, faites-les glisser vers les tempes, sans appuyer. Ensuite, tapotez la paupière du bout des doigts.

● **Les yeux fermés**, massez les paupières en gestes circulaires, en allant du coin externe de l'œil vers le coin interne, dans le sens inverse des aiguilles d'une montre. Effectuez ce mouvement doucement cinq fois de suite.

● **Pour tonifier vos paupières** supérieures : yeux fermés, posez délicatement les index sur la racine des cils. Essayez d'ouvrir les yeux en regardant en l'air. Effectuez cet exercice trois fois et pendant 5 secondes seulement, pour éviter d'entraîner une douleur.

● **Pour tonifier vos paupières** inférieures : yeux ouverts, contractez les paupières du bas comme si vous ajustiez votre vue sur un objet lointain. Placez vos majeurs sous l'angle externe de l'œil. Tirez légèrement vers le bas et en biais : vous devez sentir le muscle vibrer. Tenez 10 secondes.

Massages pour le contour des yeux

● **En pressant**, décrivez un cercle qui partira du coin interne de l'œil. Massez la paupière supérieure jusqu'au coin externe, puis passez sous l'œil pour revenir au point de départ.

● **Pour atténuer les pattes-d'oie**, faites de légers pincements entre le pouce et l'index sur toute la zone marquée, puis lissez du bout de l'index, toujours du bas vers le haut.

● **Pour gommer les ridules** autour des yeux, penchez légèrement la tête en arrière, puis fermez les yeux. Posez l'index et le majeur à la base de vos cils et essayez d'ouvrir les paupières. Maintenez la position 30 secondes, puis relâchez. Répétez l'exercice dix fois.

Massages anti-cernes et ridules

● **Les pouces en appui** sous le menton, placez l'annulaire de chaque main à l'angle interne des yeux. Effectuez une dizaine de petites pressions, puis réalisez des mouvements circulaires, de façon à masser le dessous de l'œil et l'arcade sourcilière. Répétez ce mouvement dix fois.

Massages pour la bouche

● **Les doigts partant du menton**, remontez vers les coins de la bouche et les narines, puis redescendez en sens inverse, vers le menton.

● **Du bout des doigts**, massez délicatement la pointe du menton en remontant vers l'oreille. À faire une dizaine de fois.

● **Les rides verticales** du pourtour de la bouche sont difficiles à atténuer. Essayez de les estomper avec ces massages, à faire chaque soir une dizaine de fois : placez l'index et le majeur de chaque côté du menton, puis remontez doucement vers le nez. Ensuite, exercez des pressions circulaires et ascendantes le long des sillons allant de la lèvre supérieure à l'angle du nez.

Massages pour effacer les rides du front

● **Plusieurs fois par jour,** passez un doigt léger sur le front, de l'arcade sourcilière à la racine des cheveux, et sur l'espace entre les deux yeux. Détendez-vous bien et ne froncez pas les sourcils.

● **La tête bien droite,** les épaules dégagées, les bras écartés et repliés, posez vos doigts bien à plat sur le front, juste entre les sourcils et la racine des cheveux. En même temps que vous tirez doucement la peau du front, vos sourcils se soulèvent. Gardez la position pendant 10 secondes.

● **Faites glisser les doigts** du haut du nez jusqu'à la racine des cheveux, puis redescendez vers les tempes en pressant doucement. Placez la paume des mains sur les sourcils et appuyez fermement. Haussez les sourcils. Surtout ne plissez pas le front pendant tout l'exercice.

Massages pour raffermir les joues

● **Massez du bout des doigts** en partant de la base du nez en allant vers les tempes. Répétez cette opération cinq fois de suite.

● **Avec le pouce et l'index** de chaque main, effectuez des petits pincements du menton aux pommettes sans tirer la peau. Fermez vos poings et massez fermement vos joues en faisant rouler vos phalanges. Ces mouvements activent la circulation et vous donneront bonne mine tout en musclant vos joues.

Contre l'affaissement du menton

● **Posez l'index et le majeur** de chaque main devant l'oreille, sur l'articulation de la mâchoire, puis effectuez des petits mouvements circulaires en suivant le tracé de la mâchoire.

● **Lissez le cou** du plat de la paume en pratiquant des mouvements ascendants. Utilisez vos deux mains en alternance, en remontant de la base du cou vers le menton. A répéter dix fois.

Massages pour le menton et anti-bajoues

• **Appliquez votre crème de nuit**, puis prenez votre visage entre vos paumes. Remontez vers les tempes sans exercer de pression trop forte. Recommencer plusieurs fois.

Massages pour tonifier le cou

• **Placez vos mains à plat** au milieu du bas du cou. Avec les doigts tendus, mais souples, lissez l'épiderme jusqu'à l'oreille. Répétez ce mouvement en alternant les mains. Déplacez-les lentement, de façon à passer sous le menton puis à rejoindre l'autre oreille.

Massages de la nuque

• **Pour dissiper les contractures**, avec l'extrémité des doigts, appuyez dou-

cement de chaque côté des vertèbres cervicales, puis massez à pleine main, d'un côté puis de l'autre, en descendant jusqu'à la base du cou. Ensuite, attrapez la peau de la nuque comme celle d'un chaton et essayez de la décoller.

→ Corps

Les tensions musculaires sont le mal de notre époque. Elles résultent d'une situation de stress ou d'une mauvaise posture. Comme votre visage, votre corps tout entier mérite que vous en preniez soin. Quelques techniques de relaxation simples vous permettront d'éliminer les contractures, de détendre vos muscles et de retrouver ainsi une énergie nouvelle.

Massages des épaules et des bras

• **Pour décontracter les épaules**, effectuez des pressions circulaires dans le sens des aiguilles d'une montre sur le haut des épaules et le long des bras.

• **Pour éliminer les tensions** dans les bras. Sur le bord externe des avant-bras, à 3 ou 4 cm de l'articulation du coude se trouve un point d'énergie très important, souvent douloureux. Massez-le par pressions légères et répétées. Ce massage permet également de chasser la fatigue nerveuse et certaines migraines.

Massages des mains

Apaisant, le massage des mains détend, décongestionne et stimule la circulation.

• **Massez chaque doigt** sur toute sa longueur après avoir enduit vos mains de crème hydratante ou d'huile sèche vitaminée. Faites de petits mouvements circulaires avec le pouce et l'index, en partant de l'extrémité du doigt, comme si vous enfiliez un gant trop étroit, et en remontant jusqu'au poignet.

Massages des seins

• **Procédez** avec une extrême douceur. Au sortir du bain ou de la douche, sur la peau bien sèche, appliquez une crème hydratante par effleurage de toute la surface de la main, en effectuant des mouvements circulaires dans le sens des aiguilles d'une montre. Méfiez-vous des crèmes trop grasses qui risquent de ramollir les tissus.

Massages du ventre

• **Pour stimuler le foie**, l'estomac et la vésicule biliaire. Placez les doigts de la main droite à plat au-dessus du nombril et appuyez légèrement dessus avec la main gauche. Avec des mouvements lents, déplacez vos mains ensemble en effectuant des cercles dans le sens des aiguilles d'une montre.

• **Créez une hyperémie** (afflux de sang) en pratiquant de gros pincements, puis massez dans le sens des aiguilles d'une montre.

Massages du bas du dos

• **Pour soulager** la région lombaire, avec les paumes et les doigts, massez le haut du bassin et la taille. Insistez le long de la colonne vertébrale.

• **Pour affiner les hanches**, massez vigoureusement cette zone par mouvements circulaires avec le plat de la main… et marchez le plus souvent possible.

Massages des jambes

• **Pour décongestionner les cuisses**, appuyez fermement les mains en partant du genou jusqu'en haut de la cuisse, puis revenez doucement vers le genou. Refaites les mêmes gestes en allant jusqu'à la hanche.

• **Pour affiner les genoux**, massez en mouvements circulaires avec une crème anticellulite. Terminez en pinçant la peau entre vos doigts. Insistez sur le creux de l'articulation.

• **Pour soulager les jambes lourdes**, commencez par masser la voûte plantaire en exerçant des pressions circulaires. Effleurez la face interne des jambes en remontant des chevilles à l'entrejambe. Insistez sur le mouvement ascendant au niveau des mollets, pour améliorer la circulation de retour.

• **Pour tonifier les mollets**, pétrissez-les en déplaçant les mains de droite à gauche et de haut en bas. Terminez en effleurant la peau du plat de la main.

truc

💧 En vacances, au bord de la mer, effectuez aussi souvent que possible ce massage réellement remodelant : marchez dans la mer, à grands pas, sans lever les pieds, comme si vous vouliez chasser l'eau loin devant vous. L'effet se fera vite sentir sur les cuisses, les chevilles et les genoux.

Massages des pieds

• **Pour détendre** la voûte plantaire, massez-la avec le pouce en effectuant de petits mouvements circulaires et en appuyant légèrement.

• **Pour un bien-être** absolu, frottez chaque orteil entre vos doigts et faites-le rouler doucement de la base à la pointe. Écartez légèrement les orteils, puis alternez les mouvements de flexion et d'extension. Terminez en pin-çant l'extrémité des doigts de pied. Attendez 3 minutes avant de vous chausser.

● **Pour combattre la migraine** ou l'in-somnie, malaxez doucement la partie charnue du gros orteil en effectuant des mouvements circulaires. C'est la partie du pied qui correspond à la tête.

à noter

◆ Les Chinois ont découvert que les différentes zones des pieds cor-respondent à des parties précises du corps et que, en les massant, on sti-mule l'ensemble de l'organisme. À la fin d'une journée fatigante, offrez-vous donc une soirée détente avec un mas-sage bienfaisant.

→ Les huiles essentielles

● L'utilisation des huiles essentielles pures est à proscrire. Il est indispensa-ble de les diluer dans une huile végé-tale ou une solution hydro-alcoolique avant de les appliquer sur la peau. En cas de contact accidentel, rincez avec une huile végétale et non avec de l'eau (les huiles essentielles ne sont pas solubles dans l'eau).

● Dans tous les cas, il est impératif d'utiliser des huiles essentielles de qualité, 100% pures et naturelles, et de

ATTENTION !

Certaines huiles essentielles sont pho-tosensibilisantes (bergamote, citron, santal, mandarine), et il est préférable de ne pas vous exposer au soleil après leur application, au risque de taches indélébiles. D'autres peuvent s'avérer particulièrement irritantes, comme la cannelle ou l'origan. Lisez bien la notice avant utilisation et demandez conseil à votre pharmacien.

les conserver dans de bonnes conditions (flacon hermétiquement fermé et à l'abri de la lumière).

• Étant donné leur concentration et leurs principes actifs, les huiles essentielles doivent toujours être utilisées avec parcimonie. Quelques gouttes suffisent pour un massage efficace.

Huiles essentielles calmantes et relaxantes

Basilic : apaise les contractures musculaires

Camomille du Maroc : en massage sur les tempes, chasse les migraines

Carvi : en massage sur l'abdomen, calme les spasmes gastriques

Cèdre rouge : agit comme anti-inflammatoire ostéo-articulaire

Citron : soulage les jambes lourdes

Citronnelle : apaise les douleurs rhumatismales

Cumin : calme les douleurs diverses

Cyprès : soulage les jambes lourdes

Géranium : tonique pour le corps ; contribue à l'amincissement

Gingembre : combat les douleurs rhumatismales

Lavande : atténue les douleurs musculaires

Mandarine : chasse les insomnies

Marjolaine : dissipe le stress, l'anxiété, la migraine, l'insomnie

Menthe : apaise jambes lourdes, douleurs musculaires, rhumatismes, maux de tête

Orange : en association avec la lavande, favorise le sommeil

Origan : efficace contre la peau sèche et les vergetures

Pin : soulage les douleurs musculaires

Huiles essentielles raffermissantes

Carotte : retarde l'apparition des rides (à diluer dans de l'huile d'avocat)

Cyprès : antirides, raffermissante et régénératrice

Lavande : prévient les rides

Palmarosa : antirides et raffermissante

Patchouli : régénérateur cellulaire et antirides

Santal : retarde l'apparition des rides

Sauge : cicatrisante et antirides

les cheveux

les cheveux

Si la couleur et la nature
de vos cheveux sont des facteurs
héréditaires, leur vigueur
et leur beauté dépendent
essentiellement des soins que
vous leur accordez.

Le cheveu est gainé de minuscules écailles qui, lorsqu'il est en bonne santé, sont parfaitement rabattues. Quand il est malmené par des traitements agressifs, ces écailles se hérissent. Les permanentes, décolorations et colorations trop rapprochées, brossages et démêlages trop vigoureux, produits de lavage détergents, séchages à l'air trop chaud, effets décapants du soleil et de l'air marin, soins excessifs sont autant d'agents qui fragilisent le cheveu et irritent le cuir chevelu.

Si vous avez des cheveux dits normaux, ne négligez pas cette chance et accordez-leur toute votre attention si vous voulez qu'ils restent sains et beaux. Si vos cheveux vous posent des problèmes, il vous faut d'abord en déterminer la nature avant d'appliquer les traitements appropriés. Dans tous les cas, n'oubliez pas que les vitamines et les oligo-éléments sont les meilleurs garants d'une chevelure saine. Les tableaux de la page 197 donnent les principales sources d'éléments nutritifs pour la peau, mais est tout aussi valable pour entretenir ou soigner vos cheveux.

Cette deuxième partie vous propose de découvrir des remèdes naturels pour résoudre vos problèmes, procéder à des traitements capillaires avec un résultat optimal, mais vous donne aussi de précieux conseils pour faire de votre chevelure une exceptionnelle parure.

truc **astuce**

Préparez une pâte en mélangeant 50 grammes d'argile et un peu d'eau. Appliquez ce
masque sur les racines. Laissez 15 minutes,
rincez et procédez au shampooing.

les cheveux gras

Pour lutter contre

les cheveux gras,

voici des soins naturels,

faciles à appliquer

et qui donnent d'excellents

résultats.

Les cheveux gras sont dus à une hypersécrétion des glandes séba-cées. Il importe donc de ne pas irriter le cuir chevelu.

→ Quelques conseils et astuces

- **Faites un shampooing** tous les 2 jours avec un produit doux.

- **Appliquez un masque** le plus sou-vent possible.

- **N'utilisez surtout pas** de produits décapants, qui aggraveraient le pro-blème.

- **Évitez les brossages** immodérés et le séchage à l'air trop chaud.

- **Le massage** doit toujours être très doux, comme les frictions, pour ne pas exciter les glandes sébacées.

→ **Massages**

- **Avant le shampooing**, effectuez un massage du cuir chevelu : saupoudrez votre tête avec 1 poignée de sel marin, massez longuement, puis brossez.

→ **Masques**

✳ Mélangez 3 cuillerées à soupe de yaourt nature et 1 œuf battu. Laissez poser 20 minutes, puis rincez abondamment avec une eau vinaigrée.

✳ Délayez de la poudre de henné neutre dans un peu d'eau chaude. Étalez sur les cheveux et laissez pendant 1 heure. Rincez soigneusement et shampouinez.

✳ Émulsionnez 2 cuillerées à soupe de beurre de karité avec 1 cuillerée à soupe d'huile d'olive, 1 cuillerée à soupe d'huile d'avocat, 1 jaune d'œuf

et 1 cuillerée à soupe d'infusion de tilleul. Appliquez cette crème avant le shampooing sur toute la chevelure ou bien sur les longueurs, en cas de racines grasses et pointes sèches.

✳ Mettez 50 grammes de poudre de lycopode dans un peu d'eau chaude. Appliquez sur la chevelure et laissez poser 30 minutes. Rincez avec soin et faites un shampooing doux.

✳ Diluez 100 grammes d'argile dans un peu d'eau minérale salée. Étalez sur les cheveux. Après une pose de 15 minutes, émulsionnez et shampouinez avec ce masque. Rincez à l'eau tiède.

✳ Faites cuire 2 citrons coupés en rondelles dans 1 litre d'eau, puis passez-les au mixeur. Laissez ce masque 20 minutes.

✳ Mettez 50 grammes de rassoul dans un mortier. Ajoutez de l'eau chaude. Mélangez bien pour obtenir une pâte homogène que vous appliquerez sur les cheveux mouillés et essorés. Rincez soigneusement après 1 heure de pose.

→ Shampooings pour cheveux gras

✳ Faites bouillir ce mélange dans 1 litre d'eau pendant 15 minutes : 10 grammes de feuilles d'ortie piquante, 20 grammes de bois de panama, 10 grammes de saponine, 10 grammes de feuilles de thym. Laissez reposer jusqu'à complet refroidissement avant de filtrer. Lavez vos cheveux avec cette préparation, en massant longuement, puis rincez soigneusement.

✳ Battez 1 œuf et 2 cuillerées à soupe de cognac. Massez doucement le cuir chevelu pendant 10 minutes et rincez à l'eau chaude, puis froide. Ajoutez le jus de 1 citron à la dernière eau de rinçage.

✳ Battez 2 jaunes d'œufs et 2 cuillerées à soupe de rhum dans 1 tasse d'eau tiède. Lavez. Laissez poser 10 minutes et rincez en profondeur à l'eau tiède. Ajoutez du vinaigre ou du jus de citron dans la dernière eau de rinçage pour la brillance.

✳ Portez à ébullition 1 poignée de feuilles de laurier avec 7 clous de girofle dans 1 litre d'eau. Laissez infuser 30 minutes, puis filtrez. Ajoutez 5 gouttes d'essence de lavande et 1 grosse cuillerée à soupe de savon de Marseille en paillettes. Versez la moitié de la préparation sur les cheveux. Massez longuement et en douceur. Procédez à une seconde application avec le liquide restant. Rincez soigneusement. Il est bon de faire ce traitement 1 fois par semaine durant 2 mois.

✳ Préparez une décoction de bois de Panama (50 grammes pour 1 litre d'eau minérale). Filtrez et lavez les cheveux en massant doucement.

→ Rinçages

✳ Après le shampooing, rincez vos cheveux avec une décoction d'eucalyptus ou de feuilles de basilic (50 grammes dans 1 litre d'eau minérale).

✳ Mettez 1 poignée de sel marin dans la dernière eau de rinçage. Le sel adoucit les cheveux et les rend brillants.

✳ Ajoutez 1 trait de jus de citron ou de vinaigre à la dernière eau de rinçage.

→ **Lotions**
À employer chaque jour en massant soigneusement le cuir chevelu.

✳ Préparez une infusion avec 500 grammes de feuilles d'ortie dans 1 litre de vinaigre de cidre. Laissez reposer 1 semaine avant emploi.

✳ Hachez menu 50 grammes d'ortie et 100 grammes de racine de bardane, et faites macérer dans 1/2 litre de rhum durant 10 jours. Filtrez soigneusement.

✳ Mélangez le jus de 1 citron avec la même quantité d'eau minérale et frictionnez le cuir chevelu.

✳ Faites macérer 100 grammes de feuilles fraîches de capucine, 100 grammes de feuilles de buis et 100 grammes de feuilles d'ortie préalablement mixées dans 1/2 litre d'alcool à 90°. Laissez macérer pendant 2 semaines, puis filtrez avant de mettre en bouteille.

Évitez les produits décapants et les shampooings pour bébé, qui rendent les cheveux mous. Utilisez des produits lavants à la kératine, qui les gaineront.

les cheveux secs

Vos cheveux sont secs et cassants ? Cessez de les agresser et traitez-les avec des produits nutritifs pour leur redonner souplesse, tonus et brillance.

→ Quelques conseils et astuces

• **Une règle d'or** : supprimez les mauvais traitements.
Évitez les décolorations, les permanentes, les shampooings trop détergents et trop fréquents, la laque et l'excès de produits coiffants, le sel de la mer, le chlore des piscines, le soleil et le vent.

• **N'agressez pas vos cheveux** en les tirant trop en arrière. Évitez les élastiques et les rouleaux trop serrés.

• Puis, apportez à vos cheveux des éléments nutritifs en tenant compte de leur nature : cheveux fins et secs sur toute la longueur ou cheveux gras à la racine et secs aux pointes.

• **Consommez** des aliments riches en vitamines B : pain complet, riz complet, légumes secs, œufs, poissons gras, foie, bananes, noix.

• **Buvez tous les matins** le jus de 1 citron mélangé à 1 cuillerée à café de lécithine de soja.

• **Avant chaque shampooing**, effectuez un massage de quelques minutes pour stimuler le cuir chevelu et permettre une bonne irrigation de la fibre capillaire.
Massez des deux mains, avec le bout des doigts, en décrivant de petits cercles, du front vers le dessus de la tête, puis de la nuque vers les tempes.

• **Autant que possible**, faites sécher vos cheveux à l'air libre. L'hiver, utilisez votre séchoir à la puissance minimale.

• **Mélangez** 1 boule de mousse à coiffer et quelques gouttes d'huile de monoï. Brillance et mise en forme assurées.

• **Ne vaporisez pas la laque** directement sur la chevelure, mais sur la brosse. Vos cheveux se mettront en place naturellement.

• **Si vous utilisez un spray** brillant, vaporisez-le à moins de 30 centimètres de la chevelure.

→ **Masques**

✳ Faites un masque à l'huile d'olive, de ricin ou d'amande douce. Versez l'huile dans le creux de vos mains et appliquez-la de la mi-longueur jusqu'aux pointes ou sur la totalité des cheveux, selon le cas.
Pour un maximum d'efficacité, gardez ce masque 30 minutes, après avoir couvert votre tête avec une feuille de papier d'aluminium.

✳ Prenez 1 avocat bien mûr et réduisez-le en purée à l'aide d'une fourchette. Posez cette crème sur vos cheveux humides, en massant lentement le cuir chevelu. Recouvrez votre tête d'une feuille d'aluminium et laissez poser durant 30 minutes. Appliquez ce masque toutes les 2 semaines.

truc

🌢 Profitez du moment du bain pour effectuer votre soin revitalisant ; la chaleur dégagée par l'eau renforcera son action.

✳ Mélangez 1 verre d'huile d'olive, 1/2 verre de miel liquide et le jus de 1 citron. Appliquez le mélange avec un peigne pour bien répartir. Enveloppez votre tête dans une serviette chaude et laissez poser 30 minutes. Rincez abondamment à l'eau tiède, puis faites un shampooing doux.

✳ Appliquez du beurre de karité avec un peigne, pour bien le répartir. N'en mettez pas sur les racines. Massez pour bien faire pénétrer et en insistant sur les pointes pour les nourrir. Faites un shampooing doux, puis rincez abondamment.

✳ Mélangez 2 cuillerées à soupe d'huile d'avocat, 1 cuillerée à soupe d'huile de ricin et 1 jaune d'œuf. Appliquez et massez les cheveux avant de les envelopper dans une ser-viette chaude. Gardez une vingtaine de minutes, puis lavez et rincez soigneusement à l'eau tiède. Mettez 1 cuillerée à soupe de vinaigre dans la dernière eau de rinçage.

✳ Mélangez 2 jaunes d'œufs, 1 cuille-rée à café d'huile de ricin et 1 cuillerée à café de rhum. Massez longuement et laissez poser 30 minutes sous une serviette chaude ou une feuille d'alu-minium. Lavez et rincez soigneuse-ment.

✳ Mélangez 3 cuillerées à soupe de miel d'acacia, 1 jaune d'œuf et le jus de 1 citron. Appliquez ce masque nourrissant et massez en douceur. Laissez poser 30 minutes avant de rin-cer et de faire un shampooing.

✳ Mixez la chair de 1 avocat bien mûr avec la pulpe de 2 beaux abricots et 1 cuillerée à café d'huile de germe de blé. Appliquez cette crème sur votre chevelure, en massant lentement. Enveloppez votre tête dans une feuille d'aluminium ou une serviette chaude. Laissez poser 20 minutes et rincez

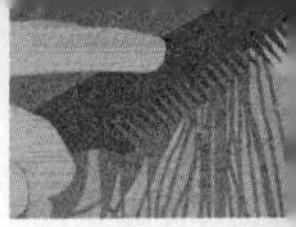

abondamment avant de procéder au shampooing.

✶ Préparez une mayonnaise (sans moutarde) avec 2 jaunes d'œufs, 3 cuillerées à soupe d'huile d'olive et 1 trait de vinaigre de cidre. Appliquez sur les pointes sèches et laissez poser 15 minutes.

✶ Appliquez au pinceau ou du bout des doigts, sur les cheveux secs, 1 œuf battu (ou 2 si vos cheveux sont longs). Au bout de 15 minutes, rincez à l'eau tiède.
Les protéines contenues dans l'œuf rendront vos cheveux doux et brillants.

→ Shampooings

✶ Préparez une infusion avec 1 litre d'eau et 1 poignée de fleurs de souci. Au moment de l'ébullition, ajoutez 1 poignée de paillettes de savon à l'huile d'olive. Remuez jusqu'à complète dissolution, puis transvasez dans une bouteille en verre. Laissez reposer 24 heures avant utilisation. Ne conservez pas plus de 3 semaines.

✶ Jetez 100 grammes de bois de Panama dans 1 litre d'eau et portez à ébullition durant 15 minutes. Laissez tiédir et filtrez avant emploi.

✶ Plongez 100 grammes de racines et de fleurs de saponine dans 1 litre d'eau bouillante. Laissez infuser 15 minutes et lavez la chevelure avec cette préparation.

✶ Portez 1 litre d'eau à ébullition. Jetez 100 grammes de feuilles de tilleul et maintenez l'ébullition pendant 15 minutes. Lorsque le liquide est froid, ajoutez 6 œufs entiers battus avec 2 cuillerées à soupe de miel. Faites chauffer à feu très doux, sans laisser bouillir. Filtrez et mettez dans un flacon en verre. Utilisez ce shampooing deux fois par semaine. Rincez abondamment à l'eau vinaigrée. Gardez le flacon dans un compartiment du réfrigérateur.

✶ Faites chauffer doucement 2 cuillerées à soupe d'huile de coco. Hors du feu, ajoutez 1 œuf battu et 1 cuillerée à soupe de vinaigre de cidre. Appliquez

le mélange et massez la chevelure.
Lavez et rincez soigneusement.

∗ Mélangez 2 jaunes d'œufs, 1 cuillerée à soupe d'huile d'amande douce
et 2 cuillerées à soupe de rhum brun.
Laissez agir ce shampooing durant
15 minutes, puis rincez à l'eau tiède,
effectuez un dernier rinçage à l'eau
vinaigrée.

∗ Massez les cheveux mouillés avec
le mélange suivant : 1 œuf entier battu,
1 cuillerée à soupe d'huile d'olive et
1 cuillerée à café de rhum. Gardez
cette émulsion une dizaine de minutes, puis rincez avec soin à l'eau tiède.

∗ Dans 1 litre d'eau, mettez 10 grammes de graines de capucine, 20 grammes d'écorce de quinquina, 20 grammes de saponine, 20 grammes de
feuilles d'ortie blanche. Faites bouillir
pendant 15 minutes. Laissez reposer
30 minutes, puis filtrez.

→ Après-shampooings

∗ Dans un flacon contenant 1/2 litre
d'huile de germe de blé, plongez
quelques brins de romarin, de thym,
de sauge et de menthe. Laissez macérer durant 1 semaine et filtrez.
Utiliser en émulsion (2 cuillerées à
soupe dans 1 litre d'eau minérale),
c'est du tonus pour les cheveux secs.

∗ Dans une casserole contenant 1 litre
d'eau froide, jetez 1 poignée de racines de guimauve et 1 poignée de
psyllium. Faites bouillir pendant 15 minutes, puis filtrez. N'oubliez pas d'ajouter le jus de 1 citron ou 1 cuillerée à
soupe de vinaigre de cidre.

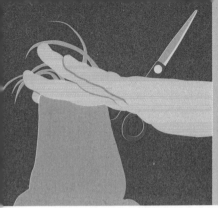

Adoptez une alimentation «survitaminée» et «surprotéinée» : céréales complètes, foie, rognons. Consommez des aliments riches en minéraux : légumes verts, avocats, noix, noisettes, amandes, lentilles, crevettes, poissons gras, lait, beurre.

les cheveux
ternes
et mous

Vos cheveux manquent

d'éclat et de vitalité,

suivez donc ces conseils

et recettes pour qu'ils

retrouvent brillance

et tonus.

Ces problèmes peuvent résulter de plusieurs facteurs : mauvaise santé, stress, usage trop fréquent de produits de coiffage ou de laque, abus de tabac.

→ Quelques conseils et astuces

• Ajoutez des germes de blé dans vos potages, ou saupoudrez-en vos salades. Pensez aussi aux comprimés de levure de bière, aux gélules à base de complexe vitaminique B et aux gélules de gélatine, qui redonnent brillance, force et santé à vos cheveux.

• Ajoutez 2 gouttes d'huile essentielle (thym, romarin, sauge …) à votre dose de shampooing. Massez, laissez agir 15 minutes, puis rincez soigneusement.

truc

♦ Si, avant d'aller à un rendez-vous, votre chevelure est particulièrement triste et terne, frottez-la énergiquement avec un foulard de soie.

• **Il existe un gel liquide** qui fait briller en un éclair sans graisser ni mouiller. Mettez 1 ou 2 gouttes dans le creux de vos mains, puis frottez-les l'une contre l'autre et massez vos cheveux.

→ Massages

✳ Dans un bol, mélangez 1 jaune d'œuf avec 1 cuillerée à soupe de rhum et 1 cuillerée à soupe d'huile de germe de blé. Appliquez cette crème en massant sur les cheveux secs. Laissez poser durant 30 minutes, puis mouillez les cheveux et émulsionnez longuement. Rincez abondamment à l'eau tiède, puis froide.

→ Masques

✳ Réduisez en poudre, à l'aide d'un mixeur, 30 grammes de feuilles de sauge, 30 grammes de prêle, 30 grammes de millepertuis, 30 grammes de feuilles de serpolet et 30 grammes de clous de girofle. Dans un bol, mélangez 4 cuillerées à soupe de poudre avec un peu d'eau bouillante pour obtenir une pâte crémeuse, ajoutez 1 cuillerée à café d'huile de germe de blé et laissez reposer au frais durant 30 minutes.
Appliquez la préparation sur les cheveux propres, encore mouillés. Laissez agir durant 1 heure, puis rincez longuement et terminez avec une eau tiède citronnée. Faites ce masque chaque semaine, en cure de 2 mois minimum.
Attention, si vous avez fait récemment une coloration, évitez d'utiliser cette préparation, qui risquerait de donner une teinte verdâtre à vos cheveux.

→ Shampooings

✳ Mettez 1 poignée de feuilles de lierre, 1 poignée de fleurs ou de poudre de saponine et 1 gros bouquet de persil. Laissez mijoter à feu doux une dizaine de minutes, puis shampouinez avec la décoction filtrée. Vos cheveux prendront de beaux reflets auburn. À réserver aux cheveux bruns.

✳ Préparez un shampooing avec une infusion de sauge mélangée à 1 poignée de saponine. Mettez sur feu doux pendant 5 minutes. Faites votre shampooing avec cette décoction, puis rincez à l'eau tiède vinaigrée.

✳ Faites préparer ce mélange : 100 grammes de bois de Panama, 100 grammes de racine de rhubarbe, 100 grammes de matricaire, 50 grammes de noix de galle. Portez à ébullition pendant 10 minutes 3 cuillerées à soupe de ce mélange dans 1 litre d'eau. Filtrez et utilisez comme un shampooing classique.

➔ Après-shampooings

Le jaune d'œuf est idéal pour tonifier et faire briller les cheveux. Il contient de la lécithine, qui nourrir et gaine la fibre capillaire.

✳ Sur les cheveux mouillés, appliquez 1 ou 2 jaunes d'œufs battus et massez du bout des doigts pendant 3 minutes. Rincez soigneusement à l'eau à peine tiède et fortement vinaigrée.

➔ Rinçages

✳ En dernière eau de rinçage, utilisez l'eau de cuisson de 3 poireaux.

✳ Ajoutez 1 cuillerée à soupe de bière à la dernière eau de rinçage.

✳ Laissez macérer durant 1 semaine 1 grosse poignée de fleurs de lavande dans 1 litre de vinaigre blanc, puis filtrez. Utilisez cette lotion après chaque shampooing.

✳ Rincez vos cheveux 1 fois par semaine avec une eau dans laquelle vous aurez ajouté le jus de 1 citron vert ou 1 filet de vinaigre de cidre.

✳ Plongez 4 cuillerées à soupe de feuilles de sauge dans 3/4 litre d'eau froide. Portez à ébullition pendant 5 minutes. Laissez infuser et utilisez en dernière eau de rinçage, pour fortifier vos cheveux. Les racines de bardane, le cresson, le buis, l'ortie sont aussi d'excellents toniques capillaires.

✳ Mettez 2 cuillerées à soupe de romarin, 2 cuillerées à soupe de racines d'ortie, 5 clous de girofle et 1 cuillerée à soupe de fleurs de lavande dans une casserole contenant 2 litres d'eau. Portez à ébullition 10 minutes, puis laissez infuser 15 minutes. Filtrez soigneusement. Cette décoction s'utilise 2 fois par mois, en dernier rinçage.

✳ Préparez une infusion en portant à ébullition 1 poignée de baies de genièvre dans 1/2 litre d'eau. Laissez macérer 1 journée. Filtrez et utilisez en dernière eau de rinçage.

✳ Dans 1 litre de vinaigre de cidre, faites macérer pendant 1 semaine 10 grammes de thym, 5 grammes de romarin, 5 grammes de sauge, 5 grammes d'ortie, 5 grammes de bardane et le jus de 1 citron. Filtrez et mettez en bouteille. Agitez avant utilisation en dernier rinçage.

➜ Lotions

✳ La friction régulière avec une infusion de lavande (2 cuillerées à soupe dans 1/4 de litre d'eau) fortifie le cuir chevelu.

✳ Dans 1 litre d'alcool, laissez macérer 250 grammes de quinquina pendant 3 semaines, dans un endroit frais et sombre. Filtrez et utilisez en lotion.

truc et astuce

Par temps froid, si l'électricité statique vous fait dresser les cheveux sur la tête, effleurez-les avec vos mains préalablement mouillées.

les cheveux
fins
et fragiles

Les cheveux fins sont fragiles,

souvent électriques

et difficiles à discipliner.

Quelques astuces

devraient vous permettre

d'en venir à bout.

→ Quelques conseils et astuces

- **Traitez vos cheveux** avec précaution et choisissez une coupe adaptée à leur nature.

- **Faites régulièrement** un bain d'huile (amande douce, coco, ricin, olive, germe de blé). Appliquez raie par raie, puis entourez la tête d'une serviette-éponge trempée dans l'eau chaude, puis essorée. Gardez 1 heure avant de procéder au shampooing. L'huile forme un film protecteur qui gaine le cheveu.

- **Évitez les shampooings agressifs**, les permanentes et les décolorations. Rincez toujours à l'eau tiède.

• **Laissez sécher** vos cheveux naturellement, car la chaleur du séchoir les rend électriques, mais évitez le plein soleil, qui a une action desséchante.

• **Après le shampooing**, appliquez un démêlant et peignez en commençant par les pointes, et non les racines.

• **Pour une meilleure tenue** de votre coiffure, préférez la mise en plis au brushing.

• **Une légère brumisation** de laque donnera du corps à la coiffure sans «cartonner». Soulevez les mèches, et vaporisez sur les racines uniquement. Le soir, enlevez la laque en brossant vos cheveux avec une brosse en soies de sanglier.

• **La mousse coiffante** est idéale pour les cheveux fins. Chauffez-la quelques minutes entre vos doigts, puis mettez-en un peu uniquement sur les racines.

→ Masques

Pour fortifier vos cheveux

✻ Mixez 1 grosse poignée d'algues et faites-en un emplâtre que vous garderez 1 heure, la tête enveloppée dans une serviette chaude. Rincez soigneusement et terminez par une eau tiède additionnée de vinaigre de cidre. Ce masque rabat les écailles de la gaine capillaire et donne tonus et brillance.

✻ Appliquez sur vos cheveux mouillés 1 œuf entier délayé avec 2 cuillerées à café de vinaigre de cidre et 4 cuillerées à soupe d'eau minérale. Laissez poser 15 minutes, puis rincez abondamment et terminez par un shampooing doux.

Pour donner du volume

✻ Mélangez 50 grammes d'argile verte en poudre, 5 gouttes d'huile essentielle de thym et 5 gouttes d'huile essentielle de citron. Ajoutez un peu d'eau minérale pour obtenir une pâte épaisse. Appliquez ce mas-

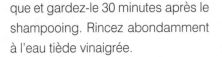

que et gardez-le 30 minutes après le shampooing. Rincez abondamment à l'eau tiède vinaigrée.

→ Shampooings

✳ La bière fortifie les cheveux quand elle est mélangée à du jaune d'œuf (1/2 verre pour 2 jaunes d'œufs). Mouillez les cheveux et lavez-les avec cette préparation en massant légèrement. Rincez ensuite à l'eau tiède vinaigrée.

✳ Dans une casserole émaillée contenant 2 litres d'eau, mettez 20 grammes de racines de saponine, 20 grammes de feuilles de lierre et 20 grammes de bois de Panama. Faites bouillir durant 15 minutes, puis filtrez et mettez en bouteille. Shampouinez longuement les cheveux et le cuir chevelu avant de rincer à l'eau tiède.

→ Lotions toniques

Les traitements sont à faire durant 1 mois. Les lotions sont à renouveler chaque semaine et à conserver au réfrigérateur.

✳ Portez à ébullition 1 litre d'eau avec 100 grammes de feuille de sauge et 60 grammes de feuilles de noyer. Laissez bouillir 15 minutes, puis filtrez et mettez en bouteille. Massez chaque jour le cuir chevelu avec cette lotion. **Attention**, cette lotion ne doit pas être utilisée sur des cheveux blonds. Les feuilles de noyer teintent légèrement et donnent de l'éclat aux chevelures châtain foncé.

✳ Dans 1 litre d'eau, jetez 50 grammes de feuilles de romarin. Portez à ébullition durant 10 minutes, puis laissez infuser. Filtrez soigneusement et ajoutez 15 gouttes d'huile essentielle de romarin. Frictionnez, massez chaque jour votre tête avec cette lotion.

Attention ! Quand une chute passagère se prolonge au-delà de 2 mois ou s'accentue brusquement, le cas est sérieux, consultez un dermatologue ou prenez rendez-vous dans une clinique spécialisée dans les soins des cheveux.

la chute des cheveux

Ce phénomène est un processus de régénération normal, mais si la perte de cheveux est excessive il vous faut recourir à des méthodes efficaces.

Le cycle de vie d'un cheveu est de 3 à 6 ans. On en perd chaque jour entre 50 et 150. La perte des cheveux est due, chez la femme, à diverses causes : accouchement, mauvaise hygiène alimentaire, régime trop sévère, maladie, agressions chimiques, stress, opération, fatigue extrême.

→ Quelques conseils et astuces

• Prévenez la chute des cheveux, favorisez leur repousse et leur résistance par une nourriture riche en protéines, vitamines, minéraux ... (voir tableau page 197).

• Prenez des comprimés de levure de bière ou saupoudrez-en vos plats.

- Sachez que les traitements exigent de la patience, mais qu'ils sont efficaces à long terme. Ils doivent être faits très régulièrement en massant doucement le cuir chevelu

- Si vos cheveux tombent en automne ou à chaque changement de saison, massez votre cuir chevelu, à sec, du bout des doigts, chaque jour 5 minutes.

→ Massages

✳ Mélangez en proportions égales de l'huile de ricin et de la teinture de quinquina avec quelques gouttes d'essence de bergamote. Utilisez en massage deux fois par jour pendant 1 mois.

✳ Faites bouillir 30 minutes 1 litre d'eau avec 100 grammes de capillaire de Montpellier séché. Laissez refroidir et versez dans un flacon. Vous l'utiliserez pour masser longuement le cuir chevelu une fois par jour.

✳ Contre la chute des cheveux, le cresson est idéal. Massez le cuir chevelu deux fois par semaine avec cette décoction : faites bouillir 200 grammes de cresson dans 1 litre d'eau pendant 10 minutes, puis filtrez.

✳ Mettez 50 feuilles de buis finement hachées dans 1/2 litre de rhum, et laissez macérer 1 semaine. Filtrez et parfumez avec quelques gouttes d'huile essentielle de lavande. Utilisez en massage quotidien.

✳ Passez à la centrifugeuse 2 oignons crus pour en extraire le jus, dont vous masserez longuement le cuir chevelu. Terminez par un shampooing antichute.

✳ Hachez menu 1 bouquet de cresson. Mettez ce hachis dans une étamine et pressez-le pour en récupérer le jus. Massez le cuir chevelu avec cette préparation avant chaque shampooing.

✳ Faites préparer le mélange suivant : 20 grammes de teinture de quinquina, 20 grammes de baume de Fioranvanti, 20 grammes de teinture de Guillaya et 5 grammes d'huile de ricin.

Mouillez vos cheveux avec un coton imbibé de la préparation et massez soigneusement, avant de shampouiner.

✳ Portez à ébullition 20 grammes de romarin, 20 grammes de sauge et 20 grammes de thym dans 1 litre d'eau. Laissez reposer jusqu'à complet refroidissement. Massez longuement le cuir chevelu deux fois par semaine.

✳ Mélangez 4 cuillerées à soupe de jus de persil, 4 cuillerées à soupe d'oignon cru et 1 petit verre de rhum brun. Massez le cuir chevelu avant le shampooing.

✳ Hachez finement des tiges fleuries de serpolet et de thym avec des feuilles et des graines de capucine. Laissez macérer pendant 1 semaine dans 1 litre d'alcool à 60°. Filtrez.

✳ Vous pouvez également masser délicatement le cuir chevelu, matin et soir, avec une simple infusion de feuilles de basilic fraîches.

✳ Portez à ébullition 100 grammes de thym et de romarin dans 1 litre d'eau. Laissez réduire jusqu'à obtention de 1/2 litre de liquide. Appliquez ce tonique capillaire légèrement tiède sur les racines, en massant lentement. En cas de chute importante, le massage sera quotidien. En cas de chute légère, le massage sera fait deux fois par semaine.

✳ Additionnez 1 jus de citron et 1 petit verre d'huile de ricin. Massez quotidiennement les racines durant 1 semaine chaque mois.

✳ Diluez 5 gouttes d'une de ces huiles essentielles (cannelle, sauge, romarin, genièvre) dans 1 verre d'huile d'olive. Appliquez raie par raie et laissez reposer 2 heures sous une serviette chaude. À faire deux fois par semaine avant le shampooing.

✳ Mettez 3 gouttes d'essence de lavande dans 1 cuillerée à soupe d'huile d'olive et d'amande douce en massage avant le shampooing.

→ Pour faciliter l'irrigation du cuir chevelu

● Appuyez légèrement avec la paume de la main en partant de la nuque et glissez en suivant les muscles du trapèze (dix fois). Toujours à partir de la nuque, avec la pulpe du pouce, exercez une pression en rotation en descendant vers les épaules, remontez ensuite (dix fois). Prenez la peau du cou entre le pouce et l'index et le majeur. Décollez-la légèrement et roulez-la entre vos doigts de la nuque aux épaules.

→ Masques

✳ Mixez 1 botte de cresson ou de feuilles fraîches d'ortie et appliquez en masque capillaire. Gardez 30 minutes, les cheveux enveloppés dans une serviette chaude. Rincez à l'eau tiède citronnée.

→ Rinçages

✳ Préparez une infusion de thym (100 grammes pour 1 litre d'eau) et utilisez en dernière eau de rinçage.

✳ Faites macérer 50 grammes de feuilles de bardane, 50 grammes de racines d'ortie et 50 grammes de feuilles de roquette dans 1/2 litre d'alcool à 90°. Laissez reposer dans un endroit frais et sombre.

✳ Faites bouillir 500 grammes d'oignons dans 2 litres d'eau minérale et rincez-vous la tête avec cette eau de cuisson. Après plusieurs rinçages, vous constaterez une nette amélioration.

✳ Préparez une infusion de 100 grammes de feuilles fraîches de sauge pour 1 litre d'eau minérale. La sauge officinale s'utilise aussi en lotion contre la chute des cheveux.

→ Lotions

Ces lotions antichute sont simples à préparer et se conservent 2 semaines dans un endroit frais, à l'abri de la lumière. Elles s'utilisent en friction du cuir chevelu 30 minutes avant le shampooing, en lotion de massage ou en eau de rinçage.

✴ Faites bouillir 100 grammes de feuilles d'ortie dans 1/2 litre d'eau et 1/2 litre de vinaigre de cidre, laissez reposer une nuit, puis ajoutez quelques gouttes d'essence de citron, de thym et de cèdre. Filtrez et utilisez pour frictionner le cuir chevelu.

✴ Portez à ébullition 1 litre d'eau avec 4 cuillerées à soupe de feuilles et de racines de bardane. Laissez bouillir 10 minutes et faites infuser 20 minutes. Filtrez et mettez en bouteille. Frictionnez le cuir chevelu deux fois par semaine, avant le shampooing.

✴ Jetez 500 grammes de racines et de feuilles d'ortie dans 1/2 litre de vinaigre de cidre. Faites bouillir pendant 15 minutes, puis laissez macérer 15 minutes. Filtrez et mettez en bouteille. Procédez à une friction journalière.

✴ Préparez une macération avec 100 grammes de fleurs et de feuilles de capucine dans 1/2 litre d'alcool. Laissez reposer durant 2 semaines. Filtrez, puis frictionnez quotidiennement. La capucine est un tonique. Elle

contient un taux élevé de soufre, qui ralentit la chute des cheveux.

✴ Préparez une infusion de thé très forte. Frictionnez le cuir chevelu chaque jour, en cure de 1 mois.

✴ Portez à ébullition 30 grammes de racines de bardane dans 1 litre d'eau. Filtrez et ajoutez 1 cuillerée à soupe d'alcool à 90°. Appliquez deux fois par jour en frictionnant le cuir chevelu du bout des doigts.

✴ Faites macérer pendant 1 mois 100 grammes de graines de capucine dans 1/4 de litre d'alcool à 60°. Agitez avant usage. Frictionnez chaque jour le cuir chevelu.
Une cure de 4 semaines sera certainement nécessaire.

✴ Faites bouillir durant 20 minutes 100 grammes de feuilles fraîches de laurier-sauce et 100 grammes de feuilles de buis fraîches dans 1/2 litre d'eau.
Laissez refroidir et filtrez. Ajoutez 20 gouttes d'huile essentielle de pam-

plemousse et 1 petit verre de vinaigre de cidre. Mettez en flacon. Faites une friction chaque jour.

→ Stimulants de la repousse

Vos cheveux pousseront ou repousseront plus vite si vous stimulez le bulbe pileux.

✳ Le soir, versez quelques gouttes d'huile essentielle de romarin dans vos mains et passez-les dans vos cheveux. Rincez à l'eau citronnée le matin.

✳ Mélangez 1 verre de décoction de sauge et 1 verre de rhum. Étalez et massez doucement. Rincez ensuite à l'eau citronnée.

✳ Prenez 500 grammes de feuilles d'ortie et faites-les infuser dans 1 litre de vinaigre de vin. Utilisez dans la dernière eau de rinçage.

✳ Hachez 100 grammes de racines de bardane et 50 grammes de feuilles d'ortie et laissez macérer 30 jours dans 1/2 litre de rhum blanc. Utilisez en frictions répétées.

A SAVOIR

Coupez vos cheveux de 1/2 centimètre à chaque lune montante. Ils seront plus vigoureux. Pensez-y si vous avez des cheveux clairsemés.

L'aspirine effervescente a de puissantes vertus bactéricides et se révèle efficace dans le traitement des pellicules. Rincez les cheveux avec une eau dans laquelle vous en aurez jeté 1 comprimé. À renouveler plusieurs fois.

les pellicules

Vous ne parvenez

pas à vous débarrasser

des pellicules ?

Découvrez les vertus des

produits naturels.

Les pellicules, si inesthétiques, peuvent être le résultat du stress, d'un état de fatigue général, d'une carence en vitamines. Traitez le problème avec des préparations à base de produits naturels, reposez-vous et révisez votre régime alimentaire.

→ Quelques conseils et astuces

• **Consommez** des aliments riches en vitamine A : carottes, abricots, foie, poisson, et limitez les laitages.

• **Un air trop sec** est un facteur aggravant des états pelliculaires. L'hiver, ne surchauffez pas les pièces, et n'oubliez pas de placer des saturateurs sur les radiateurs pour humidifier l'atmosphère.

- **Attention aux abus** de produits de coiffage, qui peuvent agresser le cuir chevelu.

- **Utilisez un shampooing doux** au moins trois fois par semaine.

- **Le rinçage soigneux** est très important, tout comme l'hygiène rigoureuse de vos brosses et peignes.

➜ **Massages**

✱ Dans 1/2 litre de rhum brun, laissez macérer pendant 30 jours 50 grammes de feuilles de buis que vous aurez hachées menu. Mettez cette lotion en bouteille après l'avoir soigneusement filtrée et appliquez en massant lentement le cuir chevelu. À faire tous les soirs pendant 1 mois.

truc

◆ L'huile de cade est un excellent remède pour éliminer les pellicules. Deux fois par semaine, avant le shampooing, appliquez cette préparation antipelliculaire : incorporez 1 cuillerée à soupe d'huile de cade pure à 2 cuillerées à soupe de shampooing crème. Massez le cuir chevelu raie par raie et laissez poser durant 1 heure. Rincez avec soin.

➜ **Masques**

✱ Saupoudrez la tête avec 2 cuillerées à soupe de sel marin. Massez longuement le cuir chevelu en le faisant rouler sous les doigts, puis enveloppez les cheveux dans une serviette que vous garderez toute la nuit. Au matin, brossez longuement, puis rincez à l'eau tiède. Ensuite, procédez à votre shampooing habituel. Pour être efficace, ce soin devra être fait 3 soirs de suite.

✱ Mélangez dans un verre 1 cuillerée à café d'huile d'olive, 3 gouttes d'huile essentielle de cèdre, 2 gouttes d'huile essentielle de romarin et le jus de 1/2 citron. Appliquez sur l'ensemble de la chevelure, puis enveloppez votre tête dans une serviette chaude et gardez toute la nuit. Au matin, massez le cuir chevelu pour décoller les pellicules, et faites un bon shampooing doux et hydratant. Ajoutez 1 filet de jus de citron ou de vinaigre blanc dans la dernière eau de rinçage.

→ Shampooings
Tous ces shampooings se préparent en infusion dans 1/2 litre d'eau et les proportions sont données pour une seule application.

* 1 poignée de poudre de saponine et 20 grammes d'ortie blanche.
* 1 poignée de poudre de saponine et 30 grammes de fleurs de capucine.
* 1 poignée de poudre de saponine et 100 grammes de feuilles de chou.
* 1 poignée de poudre de saponine et 50 grammes de thym.
* 1 poignée de poudre de saponine et 100 grammes de bois de Panama.
* 1 poignée de poudre de saponine et 1 botte de cresson.
* 1 poignée de poudre de saponine et 50 grammes de romarin en branches.
* 1 poignée de poudre de saponine et 50 grammes de feuilles de sauge.
* 1 poignée de poudre de saponine et 50 grammes de feuilles de buis fraîches.

→ Démangeaisons du cuir chevelu

* Ajoutez 1 cuillerée à café de vinaigre de cidre dans 1 verre d'eau minérale. Matin et soir, trempez un peigne dans cette lotion et lissez vos cheveux en partant du sommet du crâne.

→ Lotions

* Après chaque shampooing, frictionnez votre cuir chevelu avec le jus de 1 citron additionné de la même quantité d'eau.

* Frictionnez vos cheveux avec de l'eau salée (1 cuillerée à soupe dans 1 verre d'eau). Pour cette opération, utilisez du sel gris.

* Après le shampooing, frictionnez le cuir chevelu avec 1/2 citron, pour décoller les pellicules et assainir la peau.

* Après chaque shampooing, utilisez en friction une infusion de fleurs de capucine (30 grammes de fleurs pour 1 litre d'eau).

Des cheveux courts sont plus pratiques pour l'été, mais si vous tenez à vos cheveux longs, pensez à les natter pendant la journée, en une tresse pas trop serrée, qui leur permettra de rester légèrement humides, et leur évitera un dessèchement accéléré.

les cheveux
en vacances

Pour ne pas risquer

de vous retrouver

avec une masse de cheveux

desséchés, style paille,

pensez à les protéger

et à les surnourrir.

Les effets du soleil, du vent, du sable, du sel et du chlore risquent fort de transformer votre chevelure de sirène en une sorte de meule de foin desséchée, impossible à discipliner. Il convient donc de prendre toutes les mesures pour ne pas en arriver à ce désastre.

→ Protection

À la piscine
L'eau des piscines contient une forte proportion de chlore, produit décapant qui agresse les cheveux et irrite le cuir chevelu.

• **Les cheveux décolorés**, teints ou permanentés, plus poreux, sont particulièrement vulnérables à l'action du chlore, surtout si le soleil est de la partie. Pensez à les protéger et à leur apporter des éléments nutritifs pour prévenir le dessèchement.

• **Aucune coloration** n'est à l'abri d'une réaction chimique avec le chlore. Le mieux est de porter un bonnet de bain en plastique, très léger, recouvrant bien tous les cheveux.

• **Si vous allez tous les jours à la piscine**, rincez vos cheveux après chaque bain, de préférence à l'eau douce. Alternez shampooing et masque nourrissants.

À la plage

Si l'eau de mer est une sorte de bain de jouvence, en raison des éléments bienfaisants qu'elle contient – iode, sodium, soufre – son action régénératrice est malheureusement contrariée par les effets dévastateurs du sel et du sable.

• **N'hésitez pas à nager sous l'eau**, à faire de la planche, bref, à vous débarrasser des pollutions de la ville, mais n'oubliez pas les soins indispensables à vos cheveux… et à votre peau.

• **Appliquez quotidiennement** un produit de protection solaire. Une vaporisation le matin, à renouveler après chaque bain, permet de garder une chevelure lisse, souple et parfaitement hydratée.

• **Un chapeau** protègera vos cheveux du soleil et de l'air salin.

• **Il est important de rincer** vos cheveux à l'eau douce après chaque bain. Plutôt que d'utiliser de l'eau du robinet, souvent trop calcaire, emportez à la plage une bouteille d'eau minérale additionnée de 1 cuillerée à soupe de vinaigre de cidre ou de jus de citron. Si vos cheveux sont très longs, contentez-vous de la douche.

• **Le soir**, procédez à un brossage doux sur cheveux secs pour éliminer le sable, puis passez un coton humidifié sur le cuir chevelu pour décoller ce qui reste de sable.

→ Soins régénérateurs

Sous l'effet de la mer, du chlore et des UV, le film de sébum protecteur disparaît, les écailles se soulèvent, les cheveux, déshydratés, perdent douceur, souplesse et brillance. Ils souffrent d'être sans cesse mouillés et séchés. Ils deviennent poreux et ternes. C'est encore plus stressant pour les cheveux qui ont subi des traitements chimiques.

Masques

* Faites chauffer 1 cuillerée à soupe de lanoline et 4 cuillerées à soupe d'huile d'olive au bain-marie. Battez légèrement. Appliquer sur les cheveux et laissez agir 20 à 30 minutes. Lavez avec un shampooing hydratant et rincez à l'eau douce.

* Mélangez 1 jaune d'œuf, 2 cuillerées à café de miel liquide et 2 cuillerées à soupe d'huile d'olive. Appliquez sur vos cheveux, recouvrez d'une serviette chaude et laissez poser durant 20 minutes. Lavez ensuite avec un shampooing très doux.

LA TROUSSE À GLISSER DANS VOS BAGAGES POUR DES VACANCES PISCINE OU PLAGE

1 shampooing doux lavages fréquents

1 huile capillaire

1 crème nourrissante pour pointes sèches

1 peigne à dents larges pour démêler en douceur

1 séchoir (à utiliser le moins possible et sur position tiède)

2 brosses à cheveux, dont 1 en plastique pour la plage

des rubans et des «chouchous»

1 pince pour relever les cheveux

---

* Mélangez dans un bol 1 cuillerée à soupe d'huile de germe de blé, 1 cuillerée à soupe d'huile de germe de maïs, 1 cuillerée à soupe d'huile d'olive ou d'huile de monoï. Laissez poser 30 minutes sous un «casque» en papier d'aluminium, puis rincez à l'eau tiède citronnée. Le shampooing qui suivra devra être nourrissant et hydratant.

Shampooings

• Achetez un shampooing doux lavages fréquents. L'idéal est un shampooing «spécial vacances», bien mieux qu'un «usage fréquent», car sa formule est dotée d'agents hyperlubrifiants destinés à lutter contre le dessèchement. Contentez-vous d'une seule application si vous lavez vos cheveux tous les jours.

→ Recettes

En vacances, il est toujours amusant de concocter des recettes maison.

✳ Battez 2 jaunes d'œufs dans un verre d'eau chaude. Filtrez, puis shampouinez. Rincez ensuite avec une eau tiède citronnée.

✳ Faites bouillir 100 grammes de bois de Panama dans 1 litre d'eau durant 30 minutes. Filtrez et utilisez en shampooing.

✳ De temps en temps, remplacez votre shampooing habituel par une crème traitante ou un soin démêlant. Appliquez une noix de produit sur les cheveux humides. Faites mousser en rajoutant peu à peu de l'eau tiède, massez et rincez à l'eau vinaigrée. Pour des cheveux fragilisés et lavés tous les jours.

shampoing et démêlage

Le shampooing

et le démêlage sont des

soins capillaires majeurs

qui exigent quelques

précautions pour un résultat

optimal.

→ Pour réussir votre shampooing

● **Brossez vos cheveux à sec**, pour les démêler, les aérer, décoller les racines, éliminer les poussières et les cellules mortes, et permettre au shampooing de se glisser partout.

● **Quelle que soit la nature** de vos cheveux, adoptez un shampooing très doux, mais pas un shampooing pour bébé, non adapté aux cheveux des adultes.

● **Diluez** 1 ou 2 bouchons de shampooing avec un peu d'eau tiède dans un flacon vide pour en augmenter le pouvoir lavant. Mouillez bien la tête à l'eau tiède – l'eau chaude dilate les écailles du cheveu et le rend rêche et terne – avant de mettre le shampooing, pour en faciliter l'émulsion.

• **Appliquez le shampooing** sans frotter, mais en malaxant les cheveux, laissez poser quelques minutes.

• **Massez le cuir chevelu** en le faisant bouger sous vos doigts, pour activer la microcirculation.

• **Rajoutez un peu d'eau** pour que le produit mousse suffisamment.

• **Rincez soigneusement** et appliquez un après-shampooing.

• **Rincez abondamment** à l'eau tiède, puis à l'eau froide, pour faire briller. Dès que les cheveux «crissent», c'est signe qu'ils sont parfaitement propres et soigneusement rincés. N'oubliez pas le jus de citron ou le vinaigre dans la dernière eau de rinçage.

• **Essorez par pression** dans une serviette-éponge chaude. Ne frottez pas : les cheveux mouillés sont fragiles et s'emmêlent facilement. Laissez sécher le plus souvent possible à l'air libre.

• **Si vos cheveux sont longs**, lavez d'abord soigneusement le cuir chevelu, faites glisser le produit sur les longueurs, puis malaxez très doucement.

→ Shampooing sec

Il dépanne dans le cas où vous ne pouvez pas vous laver les cheveux. À ne pas utiliser si vous avez les cheveux secs.

✱ Saupoudrez vos cheveux avec un mélange de 4 cuillerées à soupe de farine de maïs ou d'avoine et de 1 cuillerée à café de sel. Massez doucement le cuir chevelu. Laissez agir pendant 10 minutes, puis essuyez avec une serviette chaude. Brossez vos cheveux dans tous les sens avant de les coiffer.

→ Démêlage en douceur

• **L'après-shampooing** est le seul moyen de venir facilement à bout du démêlage. Ce produit, en lissant les

écailles, facilite le passage du peigne.
Il s'applique après le rinçage avec, en
général, un temps de pose de 2 minutes avant un nouveau rinçage méticu-
leux. Riche en lanoline, il est parfait
pour les cheveux secs, épais, permanentés ou colorés. À éviter sur cheveux gras, fins ou mous, préférez les
sérums ou appliquez le démêlant
avant le shampooing.

• **Pour démêler** les cheveux longs
sans les casser, commencez toujours
par les pointes. En cas de nœuds, séparez mèche par mèche avec les
doigts. Terminez par les longueurs.

• **Ne démêlez jamais** les cheveux
mouillés à la brosse, qui les étire et les
casse. Utilisez un démêloir à larges
dents.

truc

◈ Si vous avez du chewing-gum dans
les cheveux, inutile de couper ! Il suffit
de frotter la gomme à mâcher avec un
peu d'huile d'olive pour la décoller et
de shampouiner ensuite.

Une averse d'été, une bruine d'hiver et vos cheveux frisottent «désespérément». Vaporisez un peu d'eau sur une brosse en plastique et peignez vos cheveux en arrière. Répétez l'opération avec du spray fixant ou un nuage de laque.

mise en plis et brushing

Boucles mousseuses, souples ondulations, crinière de lionne ou cheveux lisses… À vous de choisir en vous inspirant de ces conseils et astuces.

→ Mise en plis mode d'emploi

- **Les cheveux doivent** être préséchés, mais encore humides ou enduits d'un produit de coiffage.

- **Faites glisser le rouleau** sous la mèche, de la racine vers la pointe pour lisser, puis enroulez les cheveux avec précaution. Séchez en douceur.

- **Défaites le rouleau** sans tirer sur la mèche.

- **Laissez refroidir** les boucles avant de les coiffer.

- **Remettez en place** une mèche rebelle en l'humectant de quelques gouttes d'eau tiède sucrée.

→ Boucles longue durée

• Utilisez un produit fixant avant de poser les rouleaux.

• Ne retirez les rouleaux que lorsque les cheveux sont parfaitement froids.

• Vaporisez un nuage de laque sur les boucles avant de les coiffer.

• Ne jouez pas avec vos cheveux ; plus vous toucherez vos boucles, plus vite elles se déferont.

• Plus longtemps vous garderez vos rouleaux, mieux vos boucles tiendront.

• Si vos cheveux manquent de tonus, votre mise en plis risque de ne pas tenir. Remédiez à cela en les peignant avec un peigne trempé dans un peu de bière. Placez les rouleaux, laissez sécher et déroulez.

→ Mises en plis express

• Entre deux mises en plis, redonnez du ressort à vos cheveux en posant vos rouleaux à sec et en les recouvrant d'un foulard humide. Séchez au séchoir après 15 minutes de pose.

• Vaporisez un spray coiffant sur vos cheveux secs. Enroulez chaque mèche sur un rouleau et donnez un petit coup de séchoir. Laissez refroidir avant de dérouler.

• Humectez vos cheveux en les vaporisant avec de la bière coupée d'un peu d'eau avant de les fixer sur des rouleaux. La mise en plis tiendra parfaitement et vos cheveux sécheront très vite.

• Roulez vos cheveux secs sur des rouleaux avant de les recouvrir d'une serviette humide et bien chaude. En 5 minutes, la vapeur dégagée vous permettra d'obtenir des boucles impeccables.

• Les rouleaux chauffants permettent une mise en plis express sur cheveux secs. Il suffit de 10 minutes de préchauffage et 20 minutes de pose, jusqu'à complet refroidissement.

trucs

◆ Rouleaux, papillotes et pinces plates sont des alliés indispensables pour la beauté de votre chevelure.

◆ Choisissez vos rouleaux en fonction de la longueur de vos cheveux et du bouclage souhaité.

◆ Les rouleaux en Velcro accrochent les cheveux et sont difficiles à défaire. Pour ne pas les arracher ou risquer de les casser, posez le rouleau à la racine et faites-le glisser sous la mèche vers la pointe, puis enroulez. Vous pouvez ainsi le dérouler en douceur.

◆ Les papillotes sont idéales pour réaliser des coiffures mousseuses. Faites vous-même vos papillotes en découpant des bandes de 5 x 20 centimètres dans un morceau de tissu de coton.

◆ Pour cranter la chevelure ou faire des boucles serrées, rien de tel que les pinces plates.

→ À chacune son style

Coiffure volume

• **Pour donner du gonflant** à votre coiffure, posez de gros rouleaux sur les mèches du sommet de la tête avant votre douche ou votre bain. La vapeur d'eau va les humidifier et leur redonner du volume.

• **Pour obtenir du volume** autour du visage, enroulez les mèches sur quelques gros rouleaux, en partant de la mi-longueur jusqu'aux racines. Les longueurs seront modelées à la brosse ronde. Cette technique est parfaite dans le cas d'un carré.

Coiffure crantée

• **Pour réaliser une coiffure** style années 30, appliquez du gel, formez des crans souples, puis fixez-les avec des pinces plates.

Ondulations naturelles

• **Enroulez les mèches** sur des rouleaux, en commençant par le bas et en arrêtant à 5 centimètres environ des racines. Séchez avec un séchoir muni d'un diffuseur. Une fois les rouleaux ôtés, brossez vos cheveux en pen-

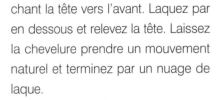

chant la tête vers l'avant. Laquez par en dessous et relevez la tête. Laissez la chevelure prendre un mouvement naturel et terminez par un nuage de laque.

Effet bouclé

- **Commencez par le dessus** de la tête et enroulez des mèches larges d'avant en arrière sur des papillotes. Pour la nuque et les côtés, enroulez des mèches plus fines du bas vers le haut. Une fois les cheveux secs, brossez et ajustez les boucles avec les doigts.

Crinière de lionne

- **Humidifiez la chevelure** et séparez-la en mèches très fines, puis torsadez et enroulez chacune d'elles autour d'une papillote. Nouez les extrémités. Une fois que les cheveux sont secs, pour leur donner un aspect mousseux, n'utilisez pas de brosse ni de peigne, mais toujours vos doigts, pour décoller les racines, que vous crêperez ensuite légèrement. Vaporisez un spray fixant.

Boucles serrées

- **Sur la chevelure humide**, prenez de fines mèches, torsadez-les sur toute la longueur et enroulez-les sur des papillotes. Laissez sécher. Ne coiffez pas, décollez simplement les racines avec les doigts. Vaporisez un spray fixant.

Spécial cheveux raides

- **Si vous avez** des cheveux très raides, torsadez chaque mèche humidifiée de la pointe à la racine, puis enroulez-la sur un rouleau de petit diamètre. Séchez soigneusement, puis coiffez avec un peigne à dents espacées. Ne brossez surtout pas.

Coiffures mousseuses

- **Répartissez** de grosses mèches et enroulez les papillotes à mi-longueur. Une fois secs, brossez vos cheveux d'arrière en avant, tête penchée, puis aérez votre coiffure en passant dedans vos doigts ou un peigne à larges dents.

• **Pour rendre vaporeux** des cheveux très fins, enroulez-les sur des rouleaux en mousse après les avoir préséchés dans une serviette chaude. Appliquez un spray fixateur, laissez sécher complètement, déroulez et brossez avec une brosse à picots. Vaporisez un nuage de laque.

truc

🌢 Pour redonner du tonus à une permanente qui s'essouffle et à des frisettes qui s'écroulent : sur les cheveux presque secs, mettez 1 noix de mousse à coiffer sur les longueurs.
Froissez de fines mèches entre les doigts tout en séchant par en dessous.

Cheveux frisés naturellement

• **Les cheveux qui frisent** naturellement sont un don du ciel, mais certaines détestent et essaient par tous les moyens de les raidir et de les aplatir; plutôt que de vouloir les défriser, faites-les désépaissir un peu. Ils seront plus faciles à coiffer et auront plus de tenue.

Pour discipliner les cheveux frisés

• **Mélangez 1 noix** de mousse coiffante à un peu de brillantine, les cheveux seront ainsi domptés.

• **Plaquez vos cheveux** avec du gel et servez-vous de l'embout du séchoir pour fixer le lissage.

• **Placez de gros rouleaux** au sommet du crâne et sur les côtés. Maintenez avec du ruban adhésif ou des piques, puis couvrez votre tête avec un foulard. Lorsque les cheveux sont secs, brossez-les avec une brosse souple.

Pour un brushing réussi

• **Ne commencez** votre brushing que lorsque vos cheveux sont pratiquement secs.

• **Vaporisez** dans le creux de votre main la valeur d'une mandarine de

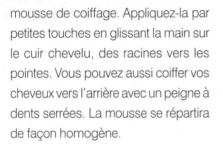

mousse de coiffage. Appliquez-la par petites touches en glissant la main sur le cuir chevelu, des racines vers les pointes. Vous pouvez aussi coiffer vos cheveux vers l'arrière avec un peigne à dents serrées. La mousse se répartira de façon homogène.

• **Testez la température** du séchoir sur le dos de votre main. Si l'air est trop chaud pour votre peau, il le sera également pour vos cheveux. Séchez en décollant les racines avec les doigts.

• **Effectuez votre brushing** en enroulant chaque mèche sur une brosse ronde. Commencez par la nuque, en retenant avec des pinces le reste des cheveux.

• **Pour les mèches du dessus**, prenez le moins de cheveux possibles. Travaillez en décollant bien les racines avec la brosse afin de donner du volume.

• **Si vous avez une frange** ou une mèche sur le côté, séchez-la en décollant les racines à l'aide d'une brosse à gros picots. Vous lui donnerez ainsi un joli mouvement. Terminez par un nuage de spray coiffant.

• **Adoptez la technique** des coiffeurs pour donner volume et tenue à votre coiffure. Commencez par imprégner vos cheveux de mousse coiffante des racines jusqu'aux pointes, en maintenant les mèches en hauteur durant quelques secondes. Peignez, puis procédez au brushing avec une brosse ronde.

• **Pour donner plus de corps** et de volume, divisez la chevelure en mèches par des raies, ce qui permet de décoller davantage les racines.

• **Séchez les cheveux** à contresens de l'implantation pour créer du volume et donner de la tenue aux racines. Penchez la tête vers l'avant, glissez les doigts de la racine vers les pointes, puis vaporisez un spray sur l'ensemble de la chevelure.

• **Pour obtenir** un volume maximal autour du visage, roulez chaque mèche dans le sens opposé à ce que vous souhaitez, puis changez de sens.

● **Si vous désirez** une coiffure lisse, séparez la chevelure par des raies verticales et tirez bien les mèches vers le bas avec la brosse.

● **Pour bien lisser** un carré, commencez toujours par la nuque. Relevez le reste de la chevelure et fixez-la par des pinces. Séchez les mèches en les enroulant vers l'intérieur sur une brosse demi-ronde. Continuez en libérant les mèches peu à peu et terminez par le dessus de la tête.

● **Pour donner du volume** à des cheveux mous, travaillez le décollement des racines en tenant votre brosse perpendiculairement.

● **Sans fer à friser** ni rouleaux, il est facile de boucler les cheveux selon une technique de professionnel. Séparez vos cheveux encore humides en mèches d'égale épaisseur, puis enroulez sur de petites brosses rondes, comme sur des rouleaux. Séchez et ne déroulez que lorsque les mèches sont refroidies.

IMPORTANT

Dirigez bien l'embout du séchoir sur les racines, en le tenant à 20 centimètres environ. Commencez toujours par la nuque.

Laissez les cheveux refroidir avant de les coiffer, pour fixer le brushing. Attendez un peu avant d'enlever la brosse, ainsi la mèche conservera la forme que vous lui avez donnée.

---

truc

● Vous n'avez pas le temps de faire un shampooing avant de sortir et vous ne disposez que de quelques minutes pour être bien coiffée ?

Vaporisez un peu d'eau sur l'ensemble de la chevelure, puis modelez les mèches avec une brosse ronde sous l'air du séchoir en position minimale. Vaporisez un nuage de laque pour fixer. Vous voilà prête !

Pour débarrasser vos cheveux de la poussière entre deux shampooings, glissez votre brosse dans un vieux bas et brossez soigneusement. Le Nylon attirera poussière et pellicules, et éliminera aussi l'excès de sébum.

brosses
et peignes

Des instruments

indispensables

et des techniques simples

pour aérer,

lustrer et discipliner

votre chevelure.

→ Gamme des brosses

Selon la nature, la longueur, la texture de vos cheveux, mais aussi pour pouvoir changer de coiffure, il est indispensable d'avoir deux ou trois brosses différentes.

**Parmi toute la gamme
des brosses, lesquelles choisir ?**

• **La brosse en soies naturelles** est un investissement que vous ne regretterez pas. Elle est incroyablement douce et particulièrement conseillée pour les cheveux fins et fragiles.

• **La brosse ronde** est idéale pour réaliser les brushings et donner du volume au séchage. Petite, elle sert aussi à faire des boucles souples.

- **La brosse plate**, large et carrée, aide à plaquer et lisser les cheveux.

- **La brosse à picots**, parfaite pour les cheveux longs, est montée sur un coussin de caoutchouc très souple. À réserver aux chevelures épaisses. Avant d'acheter une brosse, vérifiez la qualité de ses picots en les pressant dans la paume de la main. Ils doivent être arrondis, pour ne pas blesser le cuir chevelu. La brosse à picots munie de petites boules est particulièrement douce pour les cheveux et permet de les démêler encore humides, sans égratigner le cuir chevelu.

- **La brosse antistatique** démêle les cheveux en douceur et élimine l'électricité statique. Idéale pour les cheveux fins et secs.

- **La brosse ovale** décolle les racines et donne du volume.

- **La brosse de voyage** se replie en aplatissant ses picots pour se glisser facilement dans les bagages.

Des brosses à cheveux impeccables

- **Vos brosses** doivent être nettoyées régulièrement. Chaque jour, ôtez les cheveux qui y sont accrochés et, une fois par semaine, plongez-les dans de l'eau tiède ammoniaquée (1 cuillerée à soupe par litre d'eau). Un bain d'eau vinaigrée, de temps en temps, raffermira les poils. Les bains abîment les manches en bois des brosses, le vernis s'écaille. Pour les protéger, il convient de les laver en évitant de tremper le manche ou en l'enduisant de vaseline.

Techniques du brossage

- **Oubliez cette théorie** selon laquelle cent coups de brosse assurent lustre et tonus de la chevelure. Le brossage fait certes briller les cheveux en répartissant le sébum sur toute la longueur, mais il a aussi pour effet d'augmenter l'électricité statique et de détériorer la kératine, élément vital du cheveu. La fibre capillaire, traumatisée, se casse et les cheveux tombent. Une dizaine

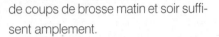

de coups de brosse matin et soir suffisent amplement.

• **Un bon brossage** s'effectue par petits coups successifs, tout en douceur. Une brosse dans chaque main, la tête en bas, brossez de la nuque vers le haut, puis des côtés vers le sommet du crâne et enfin, du front vers la nuque. Ces coups de brosse débarrassent les cheveux des poussières, du sébum, de la laque et des produits coiffants. Surtout, jamais de brossage brutal qui hérisse les écailles des cheveux.

➔ Choix des peignes

Comme pour les brosses, il importe de disposer d'une série de peignes destinés chacun à un usage précis. Quel que soit le modèle, veillez à ce qu'il soit de qualité.

• **Le démêloir**, muni de grosses dents très espacées, s'utilise sur des cheveux mouillés. Il démêle en douceur, sans agresser ni casser les cheveux.

• **Le peigne à queue** doit avoir des dents suffisamment serrées pour lisser la chevelure, un manche fin pour délimiter les mèches, tracer une raie, effectuer la mise en plis.

• **Bannissez le métal**. Optez pour des peignes en rhodoïd.

• **Attention également** aux dents et manches qui accrochent.

• **Attention aux peignes** à dents trop serrées qui déchirent littéralement les cheveux.

• **Lavez vos peignes** une fois par semaine, car les cheveux et les résidus capillaires s'accumulent dans les interstices. Pour les nettoyer à fond, faites-les tremper dans une cuvette d'eau chaude additionnée de 2 cuillerées à soupe d'ammoniaque.

truc

💧 Versez quelques gouttes d'huile de romarin ou de lavande sur votre brosse, vos cheveux seront plus brillants et délicatement parfumés.

Plus un cheveu est en bonne santé, plus la couleur sera belle. Sur un cheveu abîmé, la coloration tiendra toujours moins bien. Ne soignez donc pas seulement vos cheveux après, mais aussi avant, pour bien les préparer.

la magie
de la couleur

Reflets, coloration,

mèches ou balayage,

rinçages pour cheveux

blancs ou gris :

autant de recettes

pour une chevelure

resplendissante.

→ Rinçages éclat

Vous souhaitez égayer votre chevelure de reflets changeants sans pour autant faire une coloration chimique. Essayez ces recettes, toutes naturelles et simples à préparer.

Pour cheveux bruns

✳ L'eau de cuisson des poireaux pare les cheveux de beaux reflets chatoyants.

✳ L'oignon et les baies de sureau réchauffent la teinte des cheveux bruns. Extraire le jus de 1 oignon ou de 1 poignée de baies et l'utiliser en dernier rinçage dans 1/2 litre d'eau.

✳ Les fleurs de chêne employées en décoction (1 poignée de fleurs dans

1 litre d'eau) après le shampooing animent d'un léger reflet cuivré les cheveux ternes.

* Fleurs de noyer et brou de noix donnent du relief à la couleur. Une décoction forte (2 poignées pour 1 litre d'eau) en dernier rinçage après le shampooing assure de superbes reflets marron glacé.

Pour cheveux châtains

* Utilisez des fleurs de matricaire en décoction (3 cuillerées à soupe dans 1/2 litre d'eau) pour éclairer des cheveux dont la couleur est un peu terne. Luminosité assurée.

* Pour renforcer la couleur, essayez l'ortie en poudre, que vous ferez infuser et utiliserez en dernière eau de rinçage.

* Pour égayer de tons auburn des cheveux châtains, rincez-les avec une infusion concentrée de thé (3 cuillerées à soupe dans 3/4 de litre d'eau). Laissez poser une dizaine de minutes. Essuyez légèrement dans une serviette-éponge de couleur foncée et laissez sécher en plein air.

* Le romarin en infusion est une excellente eau de rinçage pour cheveux foncés. Une infusion de fleurs et graines de souci ravivera des cheveux auburn.

Pour cheveux blonds

* Pour éclaircir les cheveux, rincez-les avec une infusion de camomille allemande (100 grammes de fleurs séchées dans 1 litre d'eau). Faites bouillir 20 minutes et laisser infuser 10 minutes avant de filtrer. Répétez l'opération après chaque shampooing et laissez sécher les cheveux au soleil.

* Pour obtenir de jolies nuances d'un blond vénitien, faites une infusion de thé concentré (3 cuillerées à soupe dans 3/4 de litre d'eau) et utilisez-la en dernière eau de rinçage.

Pour cheveux blancs

* Plongez 1 poignée de feuilles de lierre dans 1 litre d'eau minérale. Por-

tez à ébullition, puis laissez tiédir. À utiliser en dernière eau de rinçage après chaque shampooing.

✳ Vous pouvez aussi faire un rinçage, après chaque shampooing, avec une infusion de fleurs d'aubépine (50 grammes dans 1/2 litre d'eau).

✳ Le thé noir en décoction masque les premiers cheveux blancs.

Pour cheveux gris
Si vous désirez garder vos cheveux gris, rehaussez leur nuance avec un rinçage. Bien coiffés, forts et brillants, les cheveux gris ont beaucoup de charme.

✳ Donnez-leur une jolie couleur avec une décoction de 4 cuillerées à soupe de feuilles de sauge fraîches dans 1 litre d'eau. Vous obtiendrez des reflets argent.

➜ La décoloration
Attention ! Vouloir être blond platine lorsqu'on est châtain foncé ou brune n'est pas sans risque. Une décoloration aussi radicale abîme beaucoup les cheveux et nécessite des soins restructurants, surtout les cheveux longs, particulièrement agressés par ces produits fortement décapants. Confiez plutôt votre tête à un coiffeur, qui discutera avec vous de la meilleure solution et procédera lui-même à l'opération.

● **Si vos cheveux sont clairs** et que vous souhaitiez les éclaircir encore de plusieurs tons, utilisez une crème décolorante, qui agira de deux façons : elle éliminera la couleur naturelle et teintera dans la nuance choisie.

● **Ne tentez jamais** de décolorer sourcils et duvets disgracieux avec ce type de produit.

● **Ne préparez jamais** le mélange oxydant + colorant plusieurs heures avant de procéder à l'application.

→ Le henné

Henné naturel

- Il colore de reflets roux les cheveux bruns et châtains. Il faut savoir que ce colorant végétal ne convient qu'aux cheveux naturels (coloration, décoloration et permanente s'abstenir !).

- Un henné très pur se reconnaît à une odeur caractéristique : celle des épinards. Pour éviter les mauvaises surprises, il faut faire un test sur une petite mèche avant de commencer à appliquer le produit.

- Le henné naturel s'applique comme une couleur sur des cheveux propres et secs. La première fois, évitez un temps de pose trop long, car certaines natures de cheveux réagissent très vite.

- Attention à vos mains, votre visage et vos vêtements, car la teinture est très tenace. Portez des gants et protégez-vous avec un vieux peignoir de bain que vous réserverez à cet effet.

Enduisez le pourtour du visage avec une crème grasse afin que la couleur ne tache pas la peau. En cas de tache sur la peau, frottez avec un coton humide imprégné de cendres de cigarette. Ça sent mauvais, mais c'est efficace !

à noter

◖ Le henné naturel colore en roux. Donc, abstenez-vous : si vos cheveux sont blonds ou si vous avez plus de 40 % de cheveux blancs ; vos cheveux deviendraient carotte.

→ Recette du henné naturel

✻ Dans une casserole réservée à cet usage, mettez 4 cuillerées à soupe de poudre de henné. Ajoutez 8 cuillerées à soupe d'eau bouillante. Fouettez avec un fouet en bois pour obtenir une pâte onctueuse et sans grumeaux. Plus la pâte sera épaisse, plus la couleur sera vive.
Laissez reposer une dizaine de minutes, puis mettez au bain-marie, en

fouettant, jusqu'à ébullition. Laissez refroidir, puis appliquez le henné au pinceau plat, en partant de la racine vers les pointes et en recouvrant bien tous les cheveux. Massez légèrement. Gardez ce masque entre 15 et 30 minutes, selon l'intensité désirée, la tête enveloppée dans une feuille d'aluminium ou un film étirable.

Rincez abondamment et lavez avec un shampooing doux. Laissez sécher au grand air, pour plus de luminosité.

Le henné neutre

Ce produit naturel ne contient pas de pigments. Il s'utilise en cure revitalisante. Il est parfait pour donner du volume aux cheveux fins ou pour assainir un cuir chevelu à tendance grasse. Il n'a pas son pareil pour gainer et faire briller les cheveux.

→ Recette du henné neutre

✳ **Il suffit de délayer** 3 cuillerées à soupe de poudre dans un bol d'eau tiède et d'appliquer la pâte obtenue sur l'ensemble de la chevelure avec un large pinceau plat. Lissez au peigne et laissez poser 40 minutes. Rincez abondamment avant de faire un shampooing doux. Laissez sécher à l'air.

Shampooings colorants

Une couleur doit être choisie en fonction de la teinte naturelle des cheveux, du teint et des yeux, pas en fonction de la mode.

truc

🌢 Après la quarantaine, plus de tons trop foncés qui durcissent les traits et vieillissent. Pas de teintes trop claires non plus, qui manquent de naturel. Jouez des reflets et du ton sur ton. Non aux transformations radicales. Oui aux couleurs vivantes et subtiles.

• **Déterminer sa couleur** de base n'est pas facile. On la croit toujours plus foncée qu'elle ne l'est en réalité. Pour connaître très exactement la nuance de vos cheveux, coupez une petite mèche sur la nuque et comparez-la avec un nuancier. Vous serez sûre d'être le plus proche possible de votre couleur de base.

● **Si vous envisagez de changer** radicalement votre teinte pour un noir corbeau ou un blond platine, essayez d'abord des perruques ou bien faites un test de couleur sur une seule mèche.

● **Si vos cheveux sont longs**, prévoyez deux boîtes de shampooing colorant pour bien imprégner toute la chevelure.

● **Faites un shampooing** normal 4 jours avant la coloration, vos cheveux absorberont mieux les pigments. 48 heures avant, faites une touche d'essai (à l'intérieur du coude ou derrière l'oreille) pour déceler toute sensibilité au colorant.

● **Appliquez une bande** de crème grasse en bordure de la chevelure. Les taches partiront plus facilement.

● **En été, évitez** d'utiliser le produit dans une pièce trop chaude, il risque de se liquéfier et de couler.

● **Utilisez toujours** une vieille serviette de toilette pour vous protéger des taches éventuelles. Découpez au milieu du tissu éponge une fente suffisamment grande pour y passer la tête, et ainsi enfiler facilement cette protection, qui ne glissera pas.

● **Évitez de faire** une coloration quelques heures avant un rendez-vous important. La couleur évolue avec la lumière et l'air, et elle ne devient vraiment belle qu'une semaine plus tard.

● **Attendez une dizaine de jours** après une permanente avant de procéder à une coloration.

● **Lisez bien** le mode d'emploi indiqué par le fabricant, et suivez-le à la lettre. Si le résultat vous déplaît, appelez le numéro vert figurant sur l'emballage pour obtenir des conseils. Surtout ne tentez rien qui risquerait d'aggraver la situation.

- **Utilisez de préférence** un miroir à trois faces pour vous voir de profil et de dos.

- **Appliquez méthodiquement** le produit sur les cheveux humides en vous servant d'un peigne. Procédez par raies successives, en insistant sur les racines, puis faites mousser en massant pour bien imprégner les cheveux.

- **La couleur** va changer durant le temps de pose. Cela n'a rien à voir avec le résultat final.

- **Respectez scrupuleusement** le temps de pose, car, rincée trop tôt, la couleur ne prendra pas, rincée plus tard, cela ne changera pas le ton.

- **Si vous avez beaucoup** de cheveux blancs, commencez toujours l'application du produit là où ils sont le plus nombreux.

- **Faites mousser** après le temps de pose, en émulsionnant avec un peu d'eau tiède.

- **Avant le rinçage**, vaporisez dans la baignoire un produit pour salle de bains ; la couleur sera piégée par la mousse, ce qui facilitera le nettoyage.

- **Rincez abondamment** les cheveux à l'eau tiède, jusqu'à ce que l'eau soit parfaitement claire.

- **Terminez** par le sachet de neutralisant qui protègera vos cheveux et les rendra plus brillants et plus souples. Massez pour faire mousser.

- **Si vous avez taché** votre peau, nettoyez-la avec un peu d'eau de Cologne ou avec un coton mouillé imprégné de cendres de cigarette.

→ Les ennemis de la couleur

- **Les shampooings** dont les bases trop détergentes délavent la couleur. Utilisez un shampooing très doux.

- **Le soleil**, dont les UV ont des effets décolorants redoutables sur les cheveux colorés. Appliquez un après-shampooing nourrissant contenant un filtre UV qui protège la chevelure des effets du soleil.

à noter

◆ Laissez passer au moins 1 mois avant de faire une nouvelle coloration.

◆ Les cheveux fins paraissent tristes et sans relief. Donnez-leur du punch et un coup de lumière en intensifiant leur couleur.

◆ Si vous avez l'habitude de relever vos cheveux en chignon, pensez à bien colorer la zone de la nuque.

◆ Le jour où vous décidez de faire votre couleur, réservez-vous un moment où vous serez au calme. Branchez le répondeur.

◆ Harmonisez maquillage et garde-robe avec votre nouvelle teinte de cheveux (dans le cas où vous changez de plus de trois tons).

→ Mèches et balayage

● **Pour illuminer** des cheveux châtains tristes et réchauffer des blonds trop fades, rien de mieux qu'un «effet coup de soleil». Voici quelques trucs simples.

✱ En été, exposée au soleil, la chevelure se pare naturellement de fils d'or. Pour que son action soit encore plus rapide, il suffit de vaporiser du jus de citron ou un mélange en parts égales de vodka et de jus de citron (3 cuillerées à soupe d'alcool pour 3 de citron) sur quelques mèches encadrant le visage, puis laissez sécher au soleil. Pour que l'effet soit très naturel, crêpez d'abord vos cheveux, puis appliquez le produit de manière irrégulière, soit

IMPORTANT

Il ne faut pas faire de balayage le lendemain d'un shampooing. La couleur prend mieux sur un cheveu qui a un léger film de sébum.

sur toute la longueur, soit uniquement sur les pointes.

→ Balayage avec des produits chimiques

• **L'opération balayage** est un peu délicate et, pour un résultat idéal, un rendez-vous chez votre coiffeur est préférable. Toutefois, il existe dans le commerce des kits dans lesquels vous trouverez tout ce qu'il faut pour une bonne réussite.

• **Respectez scrupuleusement** les indications du fabricant.

• **Pour donner** plus de relief à votre coiffure, faites un balayage en trois tons : cendré, nacré et doré c'est superbe !

• **N'oubliez pas** qu'un balayage sera toujours plus beau, plus naturel, plus fondu après deux ou trois shampooings.

✷ Si vous voulez obtenir plus de contraste dans vos cheveux après un balayage, il suffit de vaporiser, après le shampooing, du jus de citron. Séchez au soleil pour que les mèches traitées prennent une délicate nuance.

le maquillage

maquillage

du visage

Un maquillage réussi
commence nécessairement
par le visage.
Il sera complété par celui
des yeux et de la bouche,
qui le rehausseront.

Si les soins de la peau sont la base d'un teint pur et lisse, le maquillage est le point d'orgue de sa mise en beauté.

Cette première partie s'attache à vous livrer tous les secrets de cet art, somme toute assez facile, pour que vous puissiez procéder à une opération sans risque, afin de ne pas vous tromper dans les choix des couleurs, de ne pas faire de fausse note dans leur association, et pour qu'elles resplendissent dans la lumière où vous évoluez.

Vous y découvrirez une mine d'informations, qui vous permettront de sélectionner votre fond de teint, l'appliquer de façon parfaite, faire en sorte qu'il tienne jusqu'au bout de la nuit, l'utiliser astucieusement afin d'estomper les petits défauts ou, à l'inverse, souligner telle ou telle partie de votre visage. Bref, vous saurez tout sur les innombrables vertus de cette seconde peau. La poudre n'est pas en reste, qui pare le visage d'un incomparable velouté.

Pinceaux et houppettes vous assureront un effet naturel, sans surcharges, si vous suivez les conseils qui vous sont donnés.
Pour un coup d'éclat et une assurance bonne mine, misez sur les fards à joues. Utilisés avec discernement, ils ne manqueront pas de vous mettre en lumière.

truc et astuce

Si votre nez brille, déposez quelques gouttes d'essence de menthe sur un mouchoir en tissu que vous reniflerez de temps en temps. Cette odeur a la faculté de réduire aussitôt la brillance dans la région du nez.

les secrets du maquillage

Votre teint est une

exceptionnelle parure.

Suivez ces conseils malins

pour vous assurer

un maquillage éblouissant,

d'une tenue parfaite.

→ Quelques conseils et astuces

• **Avant de vous maquiller**, passez deux glaçons sur votre visage. La couleur adhérera mieux. Enveloppez les glaçons dans un gant-éponge, pour ne pas risquer de brûlure.

• **Ne renoncez pas** à vous maquiller le matin de peur d'être en retard. Un maquillage naturel et quelques produits malins vous permettront, en un rien de temps, d'être éclatante tout au long de la journée.

• **Si vous voulez concilier** beauté et soin, adoptez un maquillage enrichi en vitamines, pour «doper» le teint, et en filtres, pour faire échec aux UV.

• **Une règle d'or** du maquillage : les tons froids vont aux peaux claires, les tons chauds aux peaux dorées.

• **Pour qu'un maquillage** ne vieillisse pas les traits, il suffit de le choisir très doux : une crème teintée mate, une poudre diaphane.

• **Demandez des échantillons** pour trouver la texture qui convient à votre peau et la couleur qui s'adapte à votre teint.

• **La lumière naturelle** ne pardonne rien, et il est toujours plus facile de rajouter de la couleur que d'en ôter. Maquillez-vous donc devant la fenêtre et offrez-vous un miroir à trois faces pour vérifier que vous avez bien tout estompé.

À NOTER

À partir de 30 ans, évitez tout ce qui marque ou accuse les traits : usez des fards et de la poudre avec parcimonie.

• **Entre chaque étape**, marquez un temps d'arrêt pour laisser pénétrer le produit. Absorbez-en l'excédent à l'aide d'un mouchoir en papier.

• **Si vous êtes vraiment pressée** pour vous maquiller, consacrez le maximum de temps à votre teint, c'est ce qui compte le plus.

• **Gommez** vos petits défauts avec les correcteurs de teint. Ces bases embellissantes sont si surprenantes que vous ne pourrez plus vous en passer. Veillez à bien choisir le coloris.

Le blanc illumine le teint et le rend transparent. Appliqué sur une peau claire, il a un effet magique, car il masque aussi bien les boutons que les cicatrices et les petites rides.
Le jaune gomme toutes les petites imperfections et donne bonne mine. **Attention !** Il est réservé aux peaux mates.
Le mauve est l'accroche-lumière par excellence. Utilisé sous le maquillage du soir, il vous aidera à aller jusqu'au bout de la nuit.

Le **bleu** convient particulièrement aux peaux claires, qui ont tendance à rougir. À appliquer aussi sur une peau «jaunâtre» ou «verdâtre».

Le **vert** est idéal pour dissimuler la couperose et les rougeurs. Il convient à toutes les carnations.

L'abricot donne une mine resplendissante, un teint de vacances. À porter comme un fond de teint sur une base de maquillage.

truc

♦ Si, au bureau, votre visage a tendance à briller, essayez ce truc qui vous permettra de rester fraîche et nette tout le reste de la journée. Dédoublez un mouchoir en papier, plaquez-le sur votre visage et vaporisez une brume d'eau minérale. Détendez-vous 2 minutes sous ce masque-buvard. Effet fraîcheur assuré !

● **Un petit bouton** est apparu pendant la nuit ? Ne désespérez pas. Avec un peu d'anti-cernes, il n'y paraîtra plus. Pour que le résultat soit absolument parfait, posez, après le fond de teint, une touche de produit sur la zone à camoufler. Estompez ensuite délicatement du bout des doigts, de façon à fondre la couleur. Jugez de l'effet à la lumière du jour et recommencez l'opération si besoin est.

● **Une brumisation** d'eau minérale fixe le maquillage. Pour que le succès soit total, la pulvérisation ne doit durer que 1 seconde.

● **Sachez** que les lampes halogènes jaunissent le maquillage, que les néons font le teint verdâtre et que la lumière des bougies fonce un maquillage pastel. Plus la lumière est forte, plus le maquillage paraît clair, plus elle est faible, plus il paraît sombre.

● **Si vous avez un nez** un peu gros, ne cherchez pas à le dissimuler sous des fards trop foncés, mettez plutôt en valeur vos yeux et vos joues.

→ **Maquillage du jour**

Un maquillage léger, pour un visage naturel et un teint éclatant.

● **Appliquez un fond de teint** d'un ton

plus clair que votre carnation, à l'aide d'une éponge humide.

• Appliquez une poudre transparente à l'aide d'une grosse houppette.

• **Pour mettre vos pommettes** en valeur, jouez sur deux blushes ; un foncé, placé assez haut dans le creux de la joue et de chaque côté du front, un plus clair sur l'os de la pommette. Estompez le blush foncé avec un pinceau, en descendant de chaque côté du cou. Procédez ensuite à un maquillage tout aussi léger des yeux et des lèvres.

→ **Maquillage éclair**

Pour être impeccable toute la journée, il ne vous faut pas plus de 5 minutes.

• **Étalez un fond de teint** fluide avec une éponge à peine humide. N'oubliez ni le cou, ni le contour des yeux.

• **Ajoutez un nuage** de poudre libre transparente. Estompez avec un grand pinceau doux.

• **Appliquez** un trait de blush.

• **Vaporisez** une brume d'eau minérale.

• **Appliquez** un peu de mascara.

→ **Maquillage du soir**

Pour être resplendissante les soirs de fête, pas question d'improviser ! Testez auparavant votre maquillage, afin d'éviter la panique de dernière minute. Choisissez très soigneusement les couleurs de fards que vous appliquerez le jour J, en pensant à les assortir à votre tenue.

• **Remplacez votre crème** hydratante par une légère base de maquillage. Moins grasse, elle fixera mieux votre fond de teint.

• **Appliquez un fond de teint** compact ; il tiendra plus longtemps.

• **Appliquez votre fard** à joues en deux temps. D'abord une crème, en tapotant du bout des doigts. Poudrez généreusement avec une poudre libre, puis appliquez la même couleur de fard à joues, mais cette fois en poudre.

• **Pour terminer,** poudrez-vous délicatement de blanc, le coup de bluff des professionnels, magique pour rajeunir et entrer dans un halo de lumière.

Incontournable, la petite éponge en latex utilisée par les maquilleurs professionnels. Taillée en biseau, elle est idéale pour atteindre les petits recoins : ailes du nez, oreilles, racines des cheveux. Le maquillage sera uniforme et imperceptible.

le fond
de teint

Qui n'a pas rêvé d'un teint

de pêche, d'une carnation

précieuse comme

une porcelaine, d'une peau

merveilleusement dorée

dès les beaux jours ?

Pour avoir un teint parfait, il n'y a rien de mieux que cette seconde peau qu'est le fond de teint. Il se fera discret si vous le choisissez très fluide (il « s'étire » mieux) et en harmonie avec la couleur de votre peau.

→ Pour un teint de rêve

Idéal pour unifier le teint et constituer le support d'un beau maquillage, un fond de teint doit être pratiquement invisible. Prenez le temps nécessaire pour choisir celui qui sera en parfaite harmonie avec votre carnation.

● **Choisissez** votre fond de teint à la lumière du jour. Essayez différentes teintes sur la face interne du poignet, jusqu'à ce que vous trouviez la tonalité idéale. Le fond de teint doit avoir la même couleur que votre peau. Dans le cas d'une pâleur excessive, vous pouvez utiliser un fond de teint d'un ton un peu plus foncé, mais pas rosé.

● **De 15 à 25 ans**, on peut tout oser, mais ne gâchez pas votre fraîcheur avec un maquillage trop lourd ou trop foncé. Adoptez des textures légères et, le soir, forcez sur les yeux.

● **À partir de 40 ans**, laissez de côté les teintes cuivrées ou bronzées, qui vieillissent. Une règle d'or : ayez la main légère ! Ne forcez ni sur la couleur ni sur l'épaisseur. Faites appel aux tons délicats et aux formules traitantes qui prendront soin de votre peau.

● **Si vous êtes toujours pressée**, choisissez plutôt une crème teintée, plus facile et plus rapide à appliquer.

● **Bien que les fonds de teint** soient traitants, il est préférable de ne pas les appliquer à même la peau, mais sur une base hydratante. Sinon, ils s'étalent moins bien et leur tenue en pâtit.

● **Avant d'appliquer** votre fond de teint, vaporisez votre visage et votre cou avec de l'eau minérale ou une lotion hydratante très fraîche. Épongez en douceur.

● **N'appliquez jamais** un fond de teint en frottant, mais en tapotant.

● **N'appliquez pas directement** votre fond de teint, chauffez-le toujours dans le creux de votre main. Fluidifié et à température du corps, il s'étalera mieux.

● **Ne diluez pas** le fond de teint avec de l'eau ou une lotion, vous risqueriez d'altérer la formule.

● **Si vous avez la peau grasse**, et pour que votre fond de teint reste mat, tamponnez votre visage avec une éponge imbibée de tonique pour peau grasse avant de vous maquiller.

● **Pour retrouver rapidement** une bonne mine, mélangez sur une éponge bien essorée une touche de fond de teint et un peu de rouge à lèvres. Cela donne un résultat très naturel.

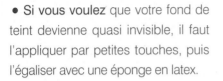

• **Si vous voulez** que votre fond de teint devienne quasi invisible, il faut l'appliquer par petites touches, puis l'égaliser avec une éponge en latex.

• **Appliquez le fond de teint** en évitant les sourcils, mais en allant jusqu'à la racine des cheveux. N'oubliez pas le dessous du nez, le contour des narines et le lobe des oreilles. Pensez à l'estomper du menton au cou, pour ne pas faire de démarcation.

• **Si vous avez eu** la main un peu lourde et si vous n'avez pas le temps de vous remaquiller, pas de panique ! Posez un mouchoir en papier sur votre visage et tapotez pour enlever le surplus. Faites une brumisation d'eau minérale et épongez en appliquant un autre mouchoir en papier sur lequel vous appuierez sans frotter.

• **Sous les lumières** électriques, il est indispensable de masquer les imperfections de la peau. Pour cela, appliquez un fond de teint compact et mat, qui permet en outre de faire quelques retouches au cours de la soirée.

• **Pour lisser le grain** de la peau, le fond de teint est parfait. Votre mine sera encore plus éclatante si vous l'associez à un produit correcteur de teint. Appliquez le mélange fond de teint-correcteur en petits mouvements circulaires à l'aide d'une éponge très fine. N'oubliez pas le cou, en descendant en dégradé jusqu'au bord du décolleté. Tapotez du bout des doigts et éliminez l'excédent avec un mouchoir en papier.

• **Vous aurez un teint** éclatant toute la nuit si vous mélangez 1 ampoule coup d'éclat ou 2 gouttes de sérum à votre fond de teint.

• **Si votre visage** commence à briller, faites une retouche express : posez à la houppette, par pressions, un soupçon de poudre compacte sur le fond de teint défaillant.

• **Le fond de teint** peut servir d'anticernes, à condition de le choisir beaucoup plus clair que la teinte de la peau.

→ Plan camouflage

Ridules, taches brunes
● **Atténuez-les** avec un anti-cernes ou un fond de teint fluide de couleur claire. Tapotez du bout des doigts pour le fondre à la peau. Attendez quelques secondes avant d'appliquer un fond de teint beige doré ou beige rosé, selon votre carnation.

Petites cicatrices, imperfections
● **Avec une petite éponge** humide, appliquez un fond de teint fluide. Matifiez ensuite avec une poudre transparente. N'utilisez jamais un fond de teint épais. Il s'incruste dans les imperfections et les marque.

Raccourcir un nez trop long
● **Utilisez un fond de teint** foncé, estompez-le avec des mouvements ascendants et mettez l'accent sur vos lèvres en utilisant un rouge très lumineux.

Allonger un nez trop court
● **Posez dessus** du fard clair ou de l'anti-cernes, puis estompez du bout des doigts.

Affiner les ailes du nez
● **Utilisez un fond de teint** clair. Dessinez deux croix près des ailes du nez, puis estompez.

Nez busqué
● **Avec un fond de teint** très foncé, tracez une ligne droite partant de la base jusqu'au bout du nez.

Nez trop fin
● **Appliquez un fond de teint** très clair sur les ailes et estompez.

Nez trop fort
● **Amincissez-le** en mettant une teinte plus soutenue sur les ailes, ou encore une couleur plus claire le long de l'arête.

Nez rouge
● **Mettez sous votre fond de teint** quelques gouttes de correcteur vert ou bleu. Un bon truc pour régulariser la circulation sanguine : trempez les avant-bras jusqu'aux coudes dans une cuvette d'eau froide.

Visage à l'ovale un peu long
● **Tracez des petites croix** le long des

deux maxillaires à l'aide d'un fond de teint clair, puis estompez du bout des doigts. Il est important d'utiliser une couleur plus claire que pour le reste du visage.

Joues trop rondes

• **Avec un peu de fond de teint** foncé, vous effacerez des joues rebondies. Il suffit de le poser avec une éponge humide, juste en dessous de la zone où elles sont le plus en relief. Étirez bien la couleur vers les oreilles. Évitez les teintes irisées pour farder les pommettes. En accrochant la lumière, elles font ressortir les rondeurs.

Rougeurs

• **Après avoir appliqué** votre crème de jour, utilisez un stick de couleur verte pour dissimuler les rougeurs sur le visage. Tapotez légèrement du bout des doigts pour répartir uniformément les pigments et pour les faire adhérer à la peau. Poudrez avec une poudre transparente. Appliquez par-dessus votre fond de teint, en tapotant à nouveau pour éviter d'éliminer le stick correcteur. Ce dernier devient invisible et les rougeurs sont parfaitement dissimulées pour plusieurs heures.

Attention, néon

• **Le néon** a une fâcheuse tendance à «verdir» le teint. Pour éviter cela, misez sur le fond de teint rosé et non beige.

Teint terne et brouillé

• **Le blanc unifie le teint** et efface toute trace de fatigue. Il s'applique entre la crème de jour et le fond de teint. Veloutez votre épiderme avec une poudre transparente blanche ou très claire. À éviter en cas de boutons.

truc

◊ Votre fond de teint est un peu trop foncé ? Plutôt que de renoncer à l'utiliser, essayez ce petit truc : mettez dans la paume de votre main 1 noisette de crème de jour. Ajoutez un peu de fond de teint et mélangez très soigneusement. S'il est vraiment très foncé, mélangez-le avec un peu de base de teint blanche.

◊ Quelle que soit leur texture, les fonds de teint épaississent : liquéfiez-les avec un peu d'eau minérale.

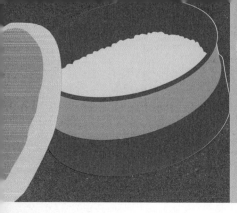

Ne poudrez pas trop votre visage. En couche légère, la poudre matifie et veloute l'épiderme, mais, si elle est appliquée trop généreusement, elle donne un teint farineux.

la poudre

D'une extrême finesse,

la poudre libre veloute

merveilleusement la peau.

Elle s'utilise sur une crème

de base ou un fond de teint.

Pour un effet léger,

utilisez une houppette

en velours ou un gros pinceau

à poils doux.

→ Mode d'emploi

- **Attendez que le fond de teint** soit complètement sec ou que la crème de base soit totalement absorbée avant de passer à l'étape poudre.

- **Choisissez une poudre** libre pour votre maquillage du matin, les compactes sont parfaites pour les retouches, mais trop épaisses pour démarrer la journée.

- **Gonflez les joues** pour que la poudre ne rentre pas dans les petits sillons de la peau.

- **Commencez par poudrer** généreusement votre visage à l'aide d'un gros pinceau à poudre, en commençant par balayer le milieu du front, le nez, le menton et en terminant par les tempes, sans oublier le cou. Ne faites surtout pas de cercles, inclinez plutôt le pinceau, façon balancier, alternativement de gauche à droite.

● **Poudrez aussi les lèvres**, les paupières et les cils ; la poudre joue le rôle de buvard et assure ainsi une meilleure tenue des fards.

● **Poudrez le cou**, les épaules et la naissance des seins si vous portez une robe décolletée.

● **Tout petits** et très pratiques pour les retouches de maquillage, les papiers poudrés sont faciles à glisser dans un sac. Il suffit de les poser sur le visage en tapotant délicatement pour éliminer les brillances. Si vous avez une peau à tendance grasse, absorbez l'excès de sébum au préalable, avec un mouchoir en papier. Vous éviterez ainsi l'effet « paquets », peu flatteur.

● **Vous pouvez aussi** mettre un peu de poudre dans un mouchoir en papier, le plier et vous en servir comme d'une houppette. Il ne laissera filtrer que la quantité de poudre nécessaire.

à noter

◆ Si vous êtes toujours pressée et plutôt maladroite, oubliez poudre et fond de teint, choisissez un mélange des deux : une poudre-crème. Utilisez une éponge humide pour que l'application soit uniforme. Tapotez-la pour prélever un peu de produit et étendez-le sur tout le visage.

→ À chaque teint sa couleur

● **Les peaux très claires** sont embellies par une poudre translucide.

● **Particulièrement flatteuse** sur les peaux très pâles ou à tendance jaunâtre, la poudre rose donne un éclat incomparable.

● **Pour les teints mats**, tous les ocres et les beiges moyens sont permis. Le jaune réchauffe les teints hâlés.

• Bleue, verte, rose, à chacune son effet. La poudre bleue estompe les rougeurs des peaux mates, la verte les rougeurs des teints pâles. La rose illumine les teints ternes et la violette donne de l'éclat sous la lumière électrique. Toutes s'utilisent comme une poudre libre.

→ Poudre de soleil

• Pour faciliter l'application de la poudre de soleil, mettez d'abord de la poudre libre. La couleur sera plus diffuse et plus naturelle.

• Pour un aspect naturel, appliquez la poudre de soleil sur une peau déjà un peu hâlée.

• Pour accentuer l'effet bronzé, mettez de la poudre sur les joues, le menton et le front, et placez deux touches juste au-dessus des sourcils.

• Pour affiner la ligne du nez, appliquez un nuage de poudre de soleil sur les ailes.

• Pour les peaux claires, la teinte devra être douce, avec une tonalité dorée. Pour les teints mats, une nuance contenant du rose convient mieux.

• Si vous ne voulez pas paraître trop maquillée, balayez uniquement la partie médiane à la poudre de soleil, pour laisser le relief des pommettes, du front, des maxillaires, qui sont des points attrape-lumière.

L'hiver, n'abusez pas du blush, au risque de ressembler à une poupée russe. Le froid fait suffisamment rougir le bout du nez et les pommettes pour ne pas en rajouter !

les fards à joues

Fard crème ou blush,

ils permettent d'illuminer

le visage et de donner

bonne mine

en un tour de main.

L'application d'un fard à joues est à la portée de toutes. Il suffit d'exploiter quelques trucs simples.

→ Quelques conseils et astuces

• **Choisissez un pinceau** long, souple et touffu. Balayez le pinceau sur le fard à joues et tapotez les poils sur le dos de votre main pour éliminer le surplus de poudre. Creusez fortement vos joues et appliquez la couleur sur les reliefs, en remontant vers les tempes. Terminez par une légère touche sur les tempes, le lobe des oreilles, la pointe du menton, sans oublier la naissance du cou.

• **Pour un effet** très naturel, adoptez une nuance transparente ou légèrement rosée. Cette dernière convient parfaitement aux peaux un peu ternes ou bronzées, qui ont tendance à paraître jaunâtres. D'ailleurs, si vous avez particulièrement mauvaise mine, sachez qu'une touche de fard rose sur le lobe des oreilles ravive l'éclat du visage.

● **Si vous choisissez** d'appliquer le fard avec une éponge, vous ne ferez pas d'erreur en appuyant l'éponge sur l'ossature des pommettes, puis en étirant largement et en remontant vers les tempes.

● **Autre astuce** pour avoir bonne mine : une touche de blush sur le nez, les paupières et la pointe du menton.

● **Pour être radieuse** dès le matin, rien de tel qu'un fard crème sur les joues. Sa texture permet d'obtenir un fondu parfait, d'où l'effet naturel.

→ **Des goûts et des couleurs**

Dans le choix des couleurs, tenez toujours compte de votre carnation et de la lumière dans laquelle vous devez évoluer. Pour que le fard exerce toute sa magie, la couleur ne doit pas être ni trop pâle ni trop foncée.

● **Les tons abricot** préfèrent la lumière du soleil et illuminent les peaux mates.

● **Les roses conviennent** mieux aux peaux claires et à la lumière électrique.

● **Pour illuminer** votre teint instantanément, utilisez un blush brun-doré.

● **Le blush doit toujours** être assorti au rouge à lèvres que vous portez.

Évitez les tons fuchsia, trop vifs, bruns, trop ternes, orangés, à réserver aux peaux hâlées. Adoptez les teintes bois de rose, rose fané, pêche.

→ **Pour modeler et corriger**

• **Pour accentuer** le volume de vos pommettes, passez le pinceau vers le creux, à hauteur des joues. Choisissez un ton pêche mat ou bois de rose.

• **Pour faire oublier** votre fatigue, remontez les traits de votre visage en estompant le blush depuis les ailes du nez jusqu'aux tempes.

• **Pour avoir un teint** transparent et éclatant, appliquez un fard à joues fluide rose doux, en suivant la ligne médiane de votre visage. Vous pouvez également éclairer votre visage en posant le fard sur les côtés du front, en haut des tempes et sur les joues.

• **Si vous avez un teint** trop mat, éclaircissez-le en appliquant sous l'œil, de la narine à l'extrémité de la pommette, un fard rose. Au milieu du front et sur l'arête du nez, posez quelques touches de fond de teint très clair.

• **Si votre visage est trop long**, posez le blush en triangle, sur les joues. Étirez la couleur en une pointe dirigée vers les ailes du nez.

• **Pour modeler** un visage triangulaire, posez de petites touches sur les pommettes.

trucs

◆ Utilisez de préférence un blush en poudre, plus pratique à appliquer.

◆ Il est toujours plus facile de rajouter du blush que d'en enlever. Prélevez un peu de fard et effectuez plusieurs passages.

◆ Vous avez oublié votre blush? Prenez un peu de rouge à lèvres et estompez-le soigneusement sur vos joues.

• **Pour un visage** trop rond, formez un croissant, de l'oreille vers la pommette.

• **Pour adoucir** un visage carré, étalez le blush en forme d'amande sur les joues. Remontez vers les tempes et terminez par un petit croissant de chaque côté du front (choisissez une couleur neutre, beige rosé, par exemple).

• **Une touche sur l'arcade** sourcilière illuminera un regard un peu triste. Ajoutez une touche de rose sur le front, le lobe des oreilles, le cou et le décolleté ; le rose attire la lumière.

• **Une touche de blush** clair (rose ou beige) posée juste au coin externe de l'œil éclaire aussitôt le regard.

• **Pour creuser** vos joues et vous faire de jolies pommettes, n'utilisez jamais de brun, qui durcit les traits. Préférez les tons gris, qui s'estompent et se fondent beaucoup plus discrètement.

• **Un soupçon de blush** mat passé au pinceau redessine un ovale un peu flou, estompe un double menton.

• **Dans le cas** d'un menton trop petit, appliquez une touche de blush lumineux juste au creux du menton.

→ **Accessoires indispensables**

Pinceau à poudre

Le pinceau à poudre est très facile d'emploi et idéal pour les débutantes : plongez-le dans la poudre, secouez-le pour enlever l'excès de produit avant de balayer votre visage en mouvements larges et descendants.

• **Choisissez-le touffu** et gros (certains font jusqu'à 8 centimètres de diamètre). Si vous tirez sur les poils, ils ne doivent pas s'arracher. À l'usage, ils doivent rester souples, sans s'étaler autour du support. Optez pour des poils naturels ou synthétiques non teints.

• **Après chaque utilisation**, secouez bien le pinceau, puis essuyez-le avec un mouchoir en papier. N'hésitez pas à le laver une ou deux fois par mois à l'eau savonneuse tiède. Séchez-le à plat dans du papier absorbant, puis placez-le dans un verre, la tête en haut, pour qu'il retrouve son gonflant.

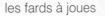

Houppette

Toujours en velours de coton, double face, elle ne doit pas pelucher ni faire de « plaques ». Elle permet d'appliquer la poudre par petites pressions en insistant sur les parties du visage qui ont tendance à briller. Utilisez ensuite votre pinceau poudreur pour enlever l'excédent et unifier le teint.

• **Lavez-la** une fois par semaine avec du bain moussant. Rincez, essorez et laissez sécher bien à plat sur un papier absorbant.

Pinceau épousseteur

Il est génial pour réparer les petites bavures. Utilisez-le en effleurant la peau pour ôter les petites traces d'ombre à paupières qui ont glissé sous l'œil ou pour nettoyer en douceur un excès de poudre sur le visage.

à noter

◆ Bien entretenus, vos pinceaux peuvent durer des années. Pensez simplement à les laver régulièrement, à les laisser sécher en prenant soin de remettre les poils en forme. Prévoyez cette opération le soir, vos pinceaux seront secs et prêts à être utilisés le lendemain matin.

◆ Pour bien nettoyer vos pinceaux tout en conservant leur souplesse, utilisez un peu de shampooing, de gel douche ou de bain moussant. Trempez-les dans le produit mélangé à un verre d'eau, rincez longuement puis utilisez un après-shampooing. Égouttez-les et pressez-les dans un papier absorbant dans le sens du poil pour éviter de les casser.

soins et maquillage
des yeux

Vos yeux sont le reflet
de votre âme,
purs joyaux de votre visage.
Mais ils sont délicats,
la peau de leur contour
est fine et fragile.

Avec l'âge apparaissent ridules et pattes-d'oie, les paupières se flétrissent. Cernes et paupières gonflées trahissent fatigue ou excès. Aucun traitement ne saurait prétendre faire disparaître à jamais ces inconvénients, mais des soins réguliers et une bonne hygiène de vie peuvent en retarder l'évolution et les atténuer.

Par ailleurs, vous découvrirez dans cette quatrième partie, que des procédés simples et astucieux vous permettront de masquer ou d'estomper les imperfections qui ternissent l'éclat de votre regard.

Au fur et à mesure de votre lecture, vous vous initierez à l'art d'embellir vos yeux. Ainsi, vous trouverez des conseils pour rectifier la courbe de vos sourcils et pratiquer une épilation sans risque. Vous apprendrez à jouer du crayon ou de l'eye-liner pour souligner le contour de vos yeux ou en modifier la forme, des fards pour ombrer ou éclairer vos paupières, du mascara pour avoir des cils immenses et superbement fournis. Autant d'artifices, utilisés judicieusement, prendront, selon l'occasion et au gré de votre humeur, un aspect naturel ou délicieusement sophistiqué. Usez des camaïeux pour des effets douceur, des contrastes pour accrocher les regards.

Essayez tous ces trucs et, surtout, sachez exploiter la magie de vos yeux.

truc

Une petite ruse vous évitera d'avoir les yeux gonflés après avoir séché vos larmes : aspergez vos paupières pendant 2 minutes, en alternant l'eau froide et l'eau chaude. Terminez toujours par l'eau froide, afin de raffermir vos paupières.

des remèdes
à tous
les maux

Voici quelques trucs malins

pour soigner les petits maux,

mais aussi pour dissimuler

des imperfections,

si minimes soient elles,

pour que votre regard soit

celui d'une star.

→ Cernes

Très pauvre en glandes sébacées, l'épiderme délicat du contour de l'œil est mal protégé contre les diverses agressions.

Les causes des cernes sont multiples : facteur héréditaire, fatigue, manque de sommeil, stress.

Des remèdes souverains

∗ Des rondelles de concombre posées sur les paupières.

∗ Des compresses d'infusion de camomille tiédie ou de lotion d'hamamélis.

∗ Des compresses fraîches de décoction de bleuet appliquées sur les paupières pendant 15 minutes.

✱ Des compresses d'eau chaude et de sel marin posées alternativement avec des compresses de thé glacé sur les paupières inférieures durant 15 minutes.

L'art de l'illusion

● **Pour estomper les cernes**, utilisez un anti-cernes. Posez-le toujours sous le fond de teint, après avoir appliqué votre base hydratante. Ainsi, il se fond avec le maquillage, sans démarcation.

● **Frottez la mine** du crayon anti-cernes sur le dos de la main et, du bout des doigts, appliquez-le sur les cernes en tapotant légèrement. Mettez ensuite votre fond de teint.

● **Appliquez** le crayon anti-cernes en pointillé, en partant du nez et en allant vers l'extérieur, puis estompez doucement avant de mettre du fond de teint. N'oubliez pas de poser une touche de produit à l'angle interne de l'œil, c'est souvent là que les cernes sont les plus visibles.

● **Ramollissez la mine** du crayon en l'enduisant de crème de jour. Le trompe-l'œil sera d'autant plus discret.

● **Mettez du crayon** anti-cernes autour de l'œil, en partant du côté du nez, en remontant sur la paupière supérieure et en redescendant sous la paupière inférieure, puis étalez le fond de teint et poudrez. Diffusez de la poudre rose sur une ligne allant du dessous de la paupière inférieure vers la tempe. Évitez le mascara sur les cils inférieurs.

● **Le stick anti-cernes** est plus sophistiqué. Ne l'appliquez jamais avec le doigt sur la ligne du cerne, mais toujours au pinceau. Tapotez avec le petit doigt. Surtout ne lissez pas. Poudrez.

● **Les émulsions** en tube sont d'une application très simple. Leur texture très fluide est enrichie en agents hydratants, pour préserver la souplesse de la peau.
Déposez l'anti-cernes à l'aide de l'embout en mousse, en traçant un pointillé le long du cerne. Faites pénétrer en tapotant et estompez jusqu'à l'os des

pommettes. L'effet sera plus naturel.

• **Si votre anti-cernes** est trop épais, chauffez-le sur le dos de la main et appliquez-le du bout des doigts.

• **Choisissez toujours** une nuance légèrement plus claire que votre peau et d'un ton en dessous de celle du fond de teint.
Attention : avec un produit trop clair, le cerne tourne au gris. Un ton trop foncé le souligne au lieu de l'estomper.

• **L'anti-cernes** gomme aussi les plis nasos-géniens, les deux rides reliant le nez aux commissures des lèvres.

• **Éclairez votre regard** et oubliez les cernes avec ce maquillage. À l'aide d'un petit pinceau plat et carré, appliquez un soupçon de blush sur le coin externe de l'arcade sourcilière, juste sous le sourcil. Le jour, choisissez un rose pastel, il adoucira et votre regard. Le soir, osez un rose vif.

• **Pour faire oublier** des yeux cernés ou fatigués, détournez l'attention sur une autre partie du visage : bouche rouge vif, pour que l'on ne remarque qu'elle.

• **Bronzage superbe** ... mais cernes très apparents. Mettez une touche d'anti-cernes sous la paupière. Un peu d'anti-cernes aussi à la naissance du nez. Estompez un fard crème abricot vers la tempe, près de l'œil, à l'aide d'une éponge. Posez au pinceau un nuage de poudre hâlée. Mettez une pointe d'or sur vos paupières et vos lèvres, et vous serez merveilleuse pour les nuits d'été.

→ Cicatrices

• **L'anti-cernes fait** des miracles sur les petites imperfections de la peau. Choisissez-le d'une couleur claire, qui masque mieux les cicatrices en creux. Appliquez-en une touche et tapotez légèrement pour l'estomper.

→ Fatigue des yeux

• **Cette mini-gymnastique** oculaire détend les paupières et atténue les marques de fatigue : placez les paumes de vos mains devant vos yeux ouverts pour atténuer la lumière. Tournez ceux-ci de droite à gauche et de haut en bas à plusieurs reprises.

• **Contre la fatigue**, appliquez sur vos paupières des compresses tièdes d'eau de bleuet ou d'infusion de camomille.

• **Un traitement ponctuel** : les masques contour des yeux ont un effet lissant qui redonne de l'éclat à un regard fatigué.

→ Irritation, inflammation

* Dans une compresse de gaze, mettez de la pulpe de pomme cuite que vous appliquerez sur vos paupières durant 10 minutes.

* L'infusion de camomille est également efficace. Filtrez soigneusement et utilisez en compresses tièdes.

→ Yeux sensibles

* Cette recette adoucissante doit être utilisée quotidiennement : faites infuser 10 grammes de feuilles de plantain, 5 grammes de fleurs de mélilot et 5 grammes de fleurs de bleuet. Baignez les yeux avec la décoction tiède.

→ Orgelet

* Un orgelet menace de percer sur votre paupière ! Faites vite des compresses de camomille tiédies préparées avec de l'eau minérale.

→ Pattes-d'oie

• **Avec le temps**, les pattes-d'oie s'impriment sur les paupières, qui clignent et se contractent des centaines de fois par jour. Utilisez un baume hydratant peu gras, et cela le plus tôt possible, dès l'âge de 20 ans. Aussi fine qu'une feuille de papier à cigarette, la peau ne supporte pas d'être malmenée.

• **Pour vous démaquiller**, adoptez le bon mouvement, qui consiste à immobiliser la peau des paupières d'une main posée à plat sur la tempe pendant que l'autre travaille. Appliquez toujours les produits de soin du bout des doigts, avec délicatesse.

truc

🔹 Achetez dans une boutique spécialisée des sachets de pétales de rose et de fleurs de camomille. Mélangez en parts égales. Faites-en une décoction. Recueillez les fleurs, laissez-les refroidir, mettez-les entre deux morceaux de gaze et appliquez-les sur vos yeux. Gardez durant 10 minutes. Baignez vos paupières avec la décoction. À faire matin et soir.

→ Paupières tombantes

Le relâchement de la paupière supérieure est dû au flétrissement de la peau et à une atonie musculaire, consécutifs au vieillissement. Le regard paraît moins vif.

• Pour rectifier le dessin des paupières tombantes, choisissez un fard à paupières d'une couleur neutre (par exemple, brun clair) et étalez-le sur toute la paupière supérieure à l'aide d'un applicateur en mousse, puis étirez la couleur vers la pointe des sourcils. Estompez légèrement pour éviter les démarcations. Si vous choisissez de ne pas les farder, appliquez plusieurs couches de mascara brun sur vos cils et recourbez-les avec un recourbe-cils.

• **Pour stimuler** les muscles de la paupière, pratiquez de petits pincements très réguliers en partant de la racine du sourcil et en allant vers l'extérieur de celui-ci.

→ Paupières gonflées

Au réveil, nos yeux parfois trahissent nos péchés de la veille.

✱ Si vous avez les paupières gonflées, prenez 2 glaçons de thé que vous aurez stockés en prévision. Enveloppez-les dans une gaze, passez-les doucement sur vos paupières. Restez allongée pendant 15 minutes.

✶ Tout aussi efficaces : des compresses d'eau de bleuet.

✶ **Si vous n'avez** ni glaçons de thé, ni eau de bleuet, passez tout de même des glaçons enveloppés dans une gaze sur vos paupières, pour les décongestionner, et battez plusieurs fois des cils pour relancer la microcirculation. Mettez 1 goutte de collyre dans chaque œil, et tout ira bien.

✶ Les cataplasmes de pomme de terre crue râpée sont excellents. Grâce à l'amidon contenu dans la pomme de terre, vous aurez en outre la peau toute douce. Si vous n'avez pas le temps de râper une pomme de terre, faites des applications de rondelles crues.

✶ **Posez des compresses** d'eau de rose ou de bleuet sur vos paupières avant de vous maquiller. Gardez-les 10 minutes.

Autres astuces

✶ Faites infuser 20 grammes de feuilles de bleuet dans 1/2 litre d'eau minérale. À utiliser tiède sur des disques de coton que vous imbiberez généreusement. Le liquide qui se diffusera à travers les cils humidifiera la conjonctive et reposera vos yeux.

✶ Imbibez 2 cotons d'infusion de camomille et laissez-les poser 15 minutes.

✶ Mélangez 1 cuillerée à soupe de fleurs de mauve réduites en poudre avec un peu d'eau minérale, d'eau de rose, ou de lait démaquillant. Appliquez ce masque sur les paupières durant 15 minutes. Rincez abondamment.

✶ Pelez et coupez 2 rondelles de concombre que vous placerez une dizaine de minutes au freezer. Posez-les sur vos yeux et allongez-vous le temps de vous relaxer.

✶ Préparez une lotion en mettant dans 1/4 de litre d'eau bouillante 1 pincée de pétales de rose séchés, et autant de camomille romaine, de fleurs de bleuet et de fleurs d'arnica. Lorsque l'infusion est tiède, imprégnez-en des disques de coton à démaquiller que vous poserez sur les paupières.

● **Massez délicatement** vos paupières avec les pouces, en effectuant le mouvement du coin interne de l'œil jusqu'à l'angle externe, puis lissez. À effectuer une dizaine de fois.

→ Poches sous les yeux

● Alternez des compresses fraîches et chaudes d'infusion de fleurs de tilleul ou de fleurs de camomille romaine.

● **Appliquez** durant 5 minutes des compresses d'eau salée très fraîche.

● **À partir de 35 ans**, il est conseillé de faire un soin contour des yeux, qui traquera à la fois ridules et masses graisseuses. Étalez toujours votre produit de l'extérieur vers l'intérieur, en maintenant la paupière d'un doigt.

à noter

● N'utilisez un collyre que lorsque vos yeux sont rouges et irrités. Le collyre aide au resserrement des petits vaisseaux sanguins, et la rougeur disparaît rapidement.

● Les collyres prescrits par un médecin ne doivent jamais être réutilisés, car ils contiennent le plus souvent un antibiotique ou un corticoïde traitant une affection précise. Une fois entamé, un collyre ne doit jamais être réutilisé.

● Les fameuses « gouttes bleues », qui font pétiller le regard et éclaircissent le blanc de l'œil, peuvent être employées en usage fréquent, sans risques.

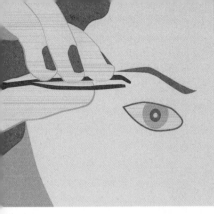

Si la couleur et l'arc de vos sourcils sont parfaits, alors contentez-vous de les faire briller avec 1 goutte d'huile d'amande douce versée sur la brosse. Comme les cheveux, les sourcils doivent être brossés tous les jours.

les sourcils

Les sourcils sont l'écrin

de vos yeux.

Si leur arc naturel

ne vous convient pas,

essayez ces techniques

et astuces pour en modifier

la courbe, l'épaisseur

ou la couleur.

L'arc idéal se situe entre deux lignes, l'une partant de l'aile du nez, l'autre longeant le coin externe de l'œil. L'espace entre la paupière et le sourcil doit correspondre à la taille de l'iris.

→ Si vous avez les sourcils

Tombants

• **Pour rétablir** l'équilibre, il faut supprimer les poils superflus jusqu'à ce que les deux extrémités du sourcil soient exactement sur la même ligne.

Trop droits

• **Pour donner** un joli mouvement ascendant à vos sourcils, utilisez un crayon spécial et maquillez le premier centimètre de chaque sourcil par-dessous, et le reste par-dessus.

Trop écartés
• **Réduisez** leur espacement à l'aide d'un crayon, en ayant la main légère. Brossez, puis estompez.

Trop rapprochés
• **Épilez à la pince** ou, mieux, faites faire la correction en institut, à la cire.

• **Avec un crayon** ou un fard blanc, dessinez une croix entre les sourcils, puis estompez. Cette touche de lumière suffit à les rééquilibrer.

Trop épais
• **Épilez-les** en supprimant seulement un poil sur deux, pour préserver leur dessin naturel, puis brossez-les.

Trop fins
• **Pour les étoffer**, employez un crayon à mine sèche et procédez par petites touches légères.
• **Une ombre** à paupières taupe compense la finesse des sourcils.

Trop courts
• **Allongez la partie** descendante du sourcil à l'aide d'un crayon.

Trop foncés
• **Il suffit** d'une décoloration extrêmement légère avec un produit spécifique.

Trop clairs
• **L'idéal est** une teinture chez votre coiffeur, de la couleur de vos cheveux ou même légèrement plus foncée.

• **Vous pouvez aussi** les maquiller avec une poudre à sourcils ; un peu plus difficile à utiliser qu'un crayon, elle donne un résultat parfaitement naturel. Appliquez la couleur au pinceau dans tous les sens, puis brossez légèrement pour unifier.

• **Un truc de maquilleur** : le mascara-cake passé avec une brosse humide et d'une main très, très légère.

Grisonnants ou blancs
• **Recourez** à la teinture si vos cheveux sont déjà colorés.

• **Utilisez un crayon** ou un fard à sourcils cendré ou gris. Procédez par petits traits fins, du bas vers le haut (sens du poil), puis brossez les sourcils vers le haut. Le soir, ajoutez de la poudre dorée pour les étoffer et les adoucir.

Indisciplinés

• **Lissez-les** avec une petite brosse assez dure imbibée de 1 goutte d'huile d'amande douce ou de gel transparent. Vous pouvez aussi les discipliner avec une brosse sur laquelle vous aurez vaporisé un nuage de spray fixant ou un peu de laque.

Frisés

• **Mettez un soupçon** de laque sur une brosse à dents de bébé, ou 1 goutte de gel fixant. Si vous n'avez rien sous la main, utilisez une brosse humide passée sur du savon.

→ Opération épilation

Choix d'une pince à épiler

• **Pour savoir** si elle sera efficace, placez-la à la hauteur de vos yeux et refermez-la. Il ne doit y avoir aucun jour entre les deux becs.

Dans le cas contraire, elle laissera échapper le poil. Préférez une pince à épiler de forme « crabe », qui permet de mieux saisir le poil.

Une pince à bouts droits ou recourbés saisit bien les poils épais, mais peut casser les poils fins. Pour ces derniers, une pince à bouts biseautés est préférable. L'idéal est d'avoir deux pinces à épiler à bouts différents.

À PROSCRIRE

• *Le rasoir : véritable catastrophe pour les sourcils, dont les poils repoussent très raides et durs.*

• *L'épilation du bord supérieur, qui rétrécit l'œil.*

Pour une épilation dans les règles de l'art

• **Les sourcils équilibrent** la forme du visage. Pour trouver leur ligne idéale, il existe une astuce. Tenez un crayon verticalement contre une narine et posez la pointe contre le coin interne de l'œil. La pointe du crayon indique le départ du sourcil. Déplacez le crayon en diagonale jusqu'au coin externe de l'œil, pour déterminer la bonne longueur. La fin du sourcil doit être un peu plus haute que le début et trois fois moins épaisse. Les poils qui dépassent de cette ligne imaginaire entre vos sourcils doivent être épilés.

• **Ayez à portée** de main pince, brosse, miroir grossissant.

• **Pour désinfecter** et atténuer la douleur, passez préalablement un coton imbibé d'alcool à 90° sur la zone à épiler.

• **Appliquez une base** hydratante, qui rendra l'opération plus facile. Tirez légèrement la peau avec les doigts.

• **Munissez-vous** d'une pince et tirez sur le poil d'un coup sec et rapide en le saisissant le plus près possible de la racine et dans le sens de la pousse.

• **Pour terminer**, passez un glaçon, qui évitera les petits picotements désagréables.

• **Les sourcils ne doivent pas** être trop épilés, pour conserver leur courbe naturelle. Ils doivent être épais près du nez, s'affiner progressivement vers le centre et être très fins à l'extrémité.

Erreur d'épilation

• **Pour masquer** les trous dus à une erreur d'épilation, n'utilisez pas de crayon dont les traits seraient trop visibles, servez-vous plutôt d'un eye-liner. Avec la pointe du pinceau, tracez de fins traits en effleurant la peau. C'est ce qui imite le mieux le poil.

Maquillage des sourcils

• **Faites l'acquisition** d'un crayon spécial, qui permet d'obtenir un résultat parfaitement naturel. Optez pour un ton soit identique, soit légèrement plus clair que vos sourcils.

• Le crayon doit avoir une mine dure et sèche, elle ne doit surtout pas baver. Taillez-le en biseau avant chaque utilisation, à l'aide d'un cutter. Tracez des traits fins, puis estompez pour que le crayon se fonde dans les sourcils. Rectifiez les imperfections par petites touches, avec un coton-tige sur lequel vous aurez versé une goutte de démaquillant.

● **Optez pour une couleur** subtile. Évitez le noir, le marron, le roux. Préférez un crayon taupe, loutre, gris-brun ou gris-blond. Si vous ne trouvez pas de crayon spécifique, remplacez-le par un fard à paupières brun clair que vous appliquerez avec un petit pinceau court, dru et bien sec. N'oubliez pas, chaque fois, de parfaire la correction à l'aide d'une brosse à sourcils.

Tenez le crayon perpendiculairement au visage. Dessinez des petites hachures fines, de la longueur et dans le sens des poils. Commencez par le milieu en traçant de bas en haut, puis entamez la courbe en faisant des hachures de plus en plus horizontales. Pour plus de rapidité, vous pouvez juste ombrer avec la partie plate de la mine, toujours en suivant la courbe naturelle.

Lifting et maquillage permanent

● **Le lifting** des sourcils est idéal si vous avez une ligne tombante. Sous anesthésie locale, on retire un petit morceau de peau au coin de l'arc supérieur, ce qui remonte le dessin original.

● **Une méthode efficace** pour corriger la courbe et étoffer les sourcils est le maquillage permanent. Pour cela, on utilise de petites aiguilles reliées à un appareil électrique. Pratiqué en institut, ce maquillage durera environ 2 ans, et l'opération est presque indolore.

truc

◆ Parez-vous d'or pour un grand soir. Pour cela, achetez de la colle à faux cils et des paillettes or assez grosses. Trempez une vieille brosse à sourcils dans la colle et passez-la légèrement sur les sourcils. Plongez ensuite la brosse dans les paillettes et brossez directement sur les sourcils. Mettez au pinceau quelques paillettes plus fines sur les paupières. Poudrez l'ensemble avec une poudre d'or. Attention, ayez la main légère et ne frottez pas.

À chaque fois que vous devez tailler vos crayons, mettez-les d'abord une dizaine de minutes au réfrigérateur : ils s'useront moins vite, le froid ayant pour effet de recristalliser la mine.

crayon à paupières et eye-liner

Faites confiance

à ces deux précieux alliés

pour agrandir vos yeux

et donner de la profondeur

à votre regard.

→ Crayon à paupières

Quelques conseils et astuces

● **Plutôt que du noir**, qui durcit l'expression et donne un aspect charbonneux, choisissez un brun foncé, un brun clair, un bistre, ou un gris.

● **Vous pouvez utiliser** votre crayon en maquillage complet de la paupière, en remplacement des fards en poudre.

● **Placez le crayon** au ras des cils, tracez de petits traits réguliers, puis estompez avec l'embout en mousse, un coton-tige ou un petit pinceau à poils durs. Vous obtenez ainsi une ombre douce qui avive l'éclat de l'iris. Fixé avec un peu de poudre, ce maquillage tiendra mieux.

- **Pour réussir un tracé** parfait sur les paupières supérieures, commencez toujours par le coin externe de l'œil, c'est plus facile. Insistez à la racine des cils.

- **Si votre œil est grand**, tracez une ligne très fine au ras des cils. S'il est petit, commencez au milieu de la paupière.

- **La mine du crayon** ne doit être ni trop grosse ni trop sèche. Certains crayons aux couleurs intenses sont très gras. Pour les utiliser au mieux, étalez la couleur sur votre main, puis appliquez-la avec un pinceau plat.

- **Pour agrandir l'œil**, soulignez les paupières supérieures et inférieures avec un trait de crayon brun doré estompé du bout des doigts.

- **Pour corriger** la forme d'un œil légèrement tombant, tracez un fin trait de crayon brun, bien taillé, au coin externe, en remontant légèrement.

- **Des yeux bleus** paraîtront encore plus bleus si vous utilisez un crayon châtain ou gris sur les paupières supérieures et inférieures. Estompez très délicatement au coin externe de l'œil.

- **Un trait de crayon** à l'intérieur de la paupière supérieure vous donnera un regard plus intense et fera paraître vos cils plus épais.

- **Fixez le tracé** du crayon en passant un coton-tige dessus.

- **Pour un regard très brillant**, mettez un point de crayon rouge près du coin interne des yeux.

truc

◆ Chauffez la mine du crayon entre vos doigts afin de l'assouplir et de rendre ainsi l'application plus douce. Vous pouvez également le tapoter sur une ampoule électrique en fonctionnement ou le poser quelques secondes sur un radiateur.

◆ En revanche, si vous trouvez la mine molle, plongez-la quelques instants dans un peu d'eau froide, puis essuyez-la avant de l'utiliser

• **Taillez vos crayons** comme les maquilleurs professionnels. Renoncez au taille-crayon et taillez la mine «en facettes» avec une lame américaine. Elle ne doit pas être trop pointue.

→ Crayon khôl

Si vos yeux sont sensibles, facilement irritables, choisissez un crayon khôl. Sa mine, adaptée au maquillage de l'intérieur de l'œil est spécialement traitée pour ne pas irriter la muqueuse.

> *Le vrai khôl, c'est-à-dire la poudre d'antimoine qu'utilisent les Orientales, est excellent pour la santé de vos yeux. Vous en trouverez dans les magasins orientaux et dans certaines boutiques de diététique. Il est beaucoup mieux supporté s'il est repassé au tamis double zéro pour obtenir une finesse extrême. N'utilisez pas cette poudre si vous portez des verres de contact.*

• **Avant de choisir** votre crayon khôl, essayez-le sur le dos de votre main : trop sec, il irritera l'épiderme ; trop gras, il aura tendance à déborder. La bonne texture se situe entre les deux : une mine qui glisse bien sur la peau.

• **Pour une tenue parfaite**, poudrez légèrement le trait avec une ombre libre du même ton.

• **Pour donner de la profondeur** à votre regard avec le crayon khôl, dessinez un pointillé au ras des cils supérieurs et inférieurs, en partant du milieu de la paupière jusqu'au coin externe de l'œil. Estompez-le avec un bâtonnet ouaté : le trait, plus naturel, adoucit le regard.

• **Pour agrandir** le regard, démarrez le trait à partir de la moitié externe de l'œil.

à noter

Un trait de khôl noir à l'intérieur des paupières supérieures et inférieures n'agrandit pas l'œil ; au contraire. Il faut réserver ce maquillage aux grands yeux.

• **Pour des yeux en amande**, le trait de crayon doit remonter au coin externe de l'œil et s'épaissir du nez vers l'extérieur.

● Si vos yeux sont très écartés, tracez une ligne depuis le nez jusqu'au milieu de l'œil.

● Si vos yeux sont trop ronds ou trop rapprochés, appliquez le khôl depuis le milieu de la paupière inférieure.

Magie des couleurs

● **Essayez un crayon** gris bleuté, blanc bleuté ou simplement blanc, et vous serez étonnée de constater combien vos yeux paraissent plus grands et votre regard semble plus éclatant.

● Le crayon blanc illumine le regard et intensifie le blanc de l'œil ! Il estompe aussi l'effet yeux rouges (petits vaisseaux dilatés, yeux fatigués ...). Il s'utilise sur le bord interne de la paupière inférieure. Ce vieux truc nous vient de Hollywood et son succès est garanti.

● Choisissez un crayon blanc cassé ou beige rosé, car un crayon trop blanc risquerait de faire paraître jaune le blanc de l'œil.

truc

◐ Vous allez danser ? Alors, pour garder l'œil pétillant toute la nuit, voici un super truc de professionnel, très facile à réaliser. Posez une touche de blush rose ou légèrement orangé au coin externe des sourcils. Estompez soigneusement la couleur à l'aide d'un pinceau plat, afin que l'effet soit naturel. Tracez un fin trait de crayon blanc du coin externe jusqu'au milieu de la paupière inférieure, puis estompez le tracé avec un coton-tige.

→ Eye-liner

Quelques conseils et astuces

● Il se pose au plus près de la lisière des cils ; paupière tirée vers le haut. Miroir et coudes posés sur la table aideront à obtenir un tracé net.

● Le tracé doit être ultra-fin. L'œil miclos, tirez légèrement la paupière vers l'extérieur. Tracez un premier trait en pointillé au ras des cils, puis repassez dessus en un geste net et précis, en arrêtant le tracé 1 millimètre après le dernier cil extérieur. Pour cela, choisissez un pinceau très fin.

● **Restez toujours** le plus près possible des cils, surtout vers le coin externe de l'œil pour suivre la ligne naturelle.

● **Évitez d'utiliser** une ombre à paupières trop colorée. Estompez légèrement un fard mat beige rosé ou brun rosé.

Pour un tracé parfait
● **La longueur et l'épaisseur** du trait dépendent de la forme de vos yeux.

Yeux enfoncés
● **Commencez le trait** à partir de l'implantation des cils de la paupière supérieure, et non à l'angle interne de l'œil, ce qui le « fermerait ». Finissez par un trait légèrement plus épais pour étirer l'œil vers le haut.

Yeux trop ronds
● **Pour leur donner** une forme allongée, commencez le trait d'eye-liner à l'angle interne et épaississez-le progressivement jusqu'au coin externe. Ombrez le centre de la paupière avec un fard gris ou brun. Appliquez plusieurs couches de mascara au coin externe.

Yeux en amande
● **Partez du milieu** de la paupière et dépassez le coin externe pour remonter le trait vers la tempe.

Yeux tombants
● **Partez du nez** et remontez légèrement vers la tempe. Mettez un peu de fard blanc sur l'arcade sourcilière.

Yeux trop petits
● **Faites un fin trait** d'eye-liner aux deux coins de l'œil, et un trait plus large au milieu. Le fard à paupières partira du coin interne et s'élargira vers le coin externe.

Yeux trop rapprochés
● **Débutez le trait** au tiers de l'œil, en l'épaississant peu à peu jusqu'au coin externe.

truc *astuce*

Si vous êtes bronzée, renoncez aux nuances bleues. Ces tonalités froides durcissent et vieillissent les traits. En revanche, tous les tons chauds vous iront.

les ombres pour les paupières

Une palette de couleurs

à décliner dans toutes

les nuances pour

un maquillage séduction :

velouté des paupières

et regard charmeur.

Le choix de votre fard à paupières est déterminé par la couleur de vos yeux. Usez des camaïeux, mais vous pouvez aussi oser les contrastes, en respectant la gamme des couleurs. Sachez que les crèmes sont plus faciles à appliquer que les poudres, dont les grains risquent de maculer votre maquillage.

→ Harmonie des couleurs

Yeux bleus

Vert irisé, kaki, parme, lilas, marine, brun, rose saumoné, roux, beige brique, ocre, gris ardoise ou fumé sont des teintes qui vous iront. Un peu difficile à poser, l'ombre bleu marine nécessite une main experte. Pour plus de facilité, utilisez un crayon gras, que vous estomperez à l'aide d'un coton-tige.

Yeux verts

Vos couleurs sont bleu myosotis, bleu électrique, vert d'eau, vert foncé, kaki, rose, fuschia, violet, mauves, jaunes, tons orangés, cuivrés, ambrés, ocres.

truc

💧 Les nuances vert d'eau sont très belles si vous estompez bien la couleur pour ne laisser qu'un film transparent sur la paupière et si vous cernez votre regard d'un trait d'eye-liner ou de crayon plus foncé : bleu marine ou gris-vert, par exemple.

Yeux noisettes

• **Adoptez des tons beiges rosé.** Le ras des cils sera d'abord souligné de rose, puis accentué au crayon noir. Sachez que les fards clairs créent des reliefs, tandis que les fards foncés sculptent des creux.

Yeux bruns

• **Évitez les verts et les bleus** très vifs, qui tranchent trop avec la couleur de l'iris. Toutes les nuances de marron vous iront bien. L'orangé adoucit le regard. Portez un mascara vert jade ou bleu foncé, qui valorise l'orange. Les fards bleu marine et bleu violine sont très flatteurs, le noir mat, le prune, le parme et, bien sûr, tous les tons bruns, bistre, terre. Pour obtenir un beau brun sombre, mélangez du marron, du gris et du noir.

truc

💧 Le noir mat est difficile à utiliser. Nuancez-le en l'estompant avec un pinceau. Terminez par une légère touche de fard or. C'est magnifique pour un maquillage du soir. Le jour, mettez un fard noir fumé mat tirant sur le prune. Appliquez ensuite une poudre beige rosée sur l'arcade sourcilière.

Yeux noirs

• **Préférez le lilas**, le rose, le mauve et, pour un coup d'éclat, le turquoise. Évitez les fards irisés.

→ Ombres, mode d'emploi

• **Avant d'utiliser** votre ombre à paupières, poudrez davantage la zone sous les yeux. Ainsi, le maquillage terminé, vous pourrez enlever les particules d'ombre d'un simple coup de pinceau.

● **L'applicateur en mousse** accompagnant les palettes de fards donne un maquillage trop intense. Optez plutôt pour un petit pinceau biseauté.

● **Ajoutez** une touche de gris perle juste au coin externe de l'œil, pour éclairer la paupière, et poudrez de rose l'arcade sourcilière.

● **Intensifiez** la couleur de votre ombre à paupières en mouillant légèrement l'embout du pinceau avant de le passer sur la poudre compacte.

● **Un fard mat** marque moins les défauts et les ridules qu'un fard en crème ou nacré.

● **Jouez avec deux nuances** d'ombres à paupières : appliquez la plus foncée sur le coin externe de la paupière, et la plus claire sous l'arcade sourcilière.

● **Évitez toute erreur** de nuance en vous maquillant avec les couleurs d'une même palette. Elles sont étudiées pour s'harmoniser.

● **Jouez les ombres** ton sur ton : posez un fard brun clair, par exemple, sur toute la paupière supérieure, puis appliquez un fard marron foncé dans le creux de la paupière, pour donner du relief au regard. Le soir, ajoutez une touche de couleur nacrée près des sourcils.

● **Si vous voulez** intensifier la couleur, passez sur l'ombre crème une ombre poudre dans les mêmes tons.

● **Si le blanc** de vos yeux est irrité, évitez le vert sur les paupières, préférez les dorés et les nuances de jaune.

● **Pour le jour**, voici un maquillage original. Appliquez un fond orangé sur vos paupières, passez un fard brun par-dessus et posez une touche de blanc sous les sourcils. Puis tracez un fin trait de fard orange au ras des cils.

● **Le noir** est un coloris fort mais, pour qui sait le manier, c'est le plus élégant des maquillages. Regard intense assuré, surtout si votre peau est dorée. Quelle que soit sa texture, appliquez le noir par étapes, à très petites doses, jusqu'à obtention de l'intensité désirée. Mettez la couleur sur les paupières préalablement lissées avec un peu de fond de teint et de poudre libre incolore. Elle se placera mieux et aura plus de tenue.

à noter

◗ Attention, les débordements de noir sur les côtés et sous l'œil dramatisent le maquillage.

● **Si vous n'avez pas l'habitude** d'utiliser des fards à paupières, adoptez la méthode qui consiste à appliquer d'abord un fond beige ou rose clair sur la paupière supérieure, puis à poser une touche d'ombre marron ou violette dans le coin externe.

● **Si vous avez** des ridules ou des pattes-d'oie, évitez les fards.

● **Sous un éclairage artificiel**, évitez les couleurs clinquantes.

● **Sous une lumière tamisée**, posez sur vos paupières une ombre blanche et choisissez un brun, un gris souris ou un noir près des cils, que vous étirerez vers les tempes.

● **Sous une lumière vive**, maquillez vos paupières dans un dégradé de couleurs en harmonie avec le ton dominant de votre robe.

● **Quelle que soit la couleur** de vos yeux, et si vous avez peur de vous tromper dans le choix des couleurs, achetez un fard brun taupe ou gris. Ces tons neutres embellissent toujours le regard en faisant ressortir la couleur des yeux. Vous pouvez aussi les dégrader en les estompant vers le sourcil. Ils se prêtent à toutes les fantaisies et s'harmonisent à toutes les teintes de blush ou de rouge à lèvres.

● **Pour le soir**, jouez avec la couleur. Posez un fard jaune sur la paupière, puis un fard vert olive dans le coin externe de l'œil. Appliquez ensuite une touche d'ombre rose sous les sourcils. Tracez un fin trait de crayon vert au ras des cils inférieurs.

• **Pour adoucir** des yeux sombres, modelez vos paupières avec du violet et du parme. Appliquez le ton le plus clair sous l'arcade sourcilière, et le plus sombre étiré en forme de triangle du centre de la paupière vers l'extérieur.

truc

🌢 Essayez ce truc de maquilleur. Inclinez la tête en arrière et tirez le sourcil pour dégager la paupière. Étalez d'abord l'ombre la plus claire dans le pli de la paupière et descendez vers la racine des cils. Posez ensuite l'ombre foncée dans le coin externe de l'œil et estompez vers la tempe.

• **Pour un maquillage chaud**, adoptez le jour des couleurs « soleil » telles que le doré, l'orangé ou les tons brique.

• **Le soir**, osez des teintes franches, comme le vert ou le violet. Donnez un grand coup de pinceau propre et sec pour obtenir un « fondu » artistique.

• **Donnez un air « glacé »** à vos paupières en les fardant avec un peu de brillant à lèvres.

• **Si l'ombre vous paraît** trop foncée, estompez la couleur en passant un doigt légèrement humide sur la paupière.

• **Du fard à paupières** appliqué au pinceau peut remplacer l'eye-liner.

Le regard est l'expression même de la personnalité. Il ne faut, sous aucun prétexte même celui de la mode, chercher à vous dessiner des yeux en amande si ceux que vos parents vous ont donnés sont ronds comme des billes. C'est certainement ce qui fait votre charme ! On peut très légèrement tricher, mais pas modifier totalement.

➜ **Dix trompe-l'œil**

Mettre en valeur des petits yeux
• **Appliquez un fard clair** et lumineux sur la paupière, et un crayon blanc à l'intérieur de l'œil. Ombrez légèrement l'arcade avec un fard brun, en étirant le plus possible la couleur vers l'extérieur.

Remonter les paupières
• **Posez une ombre claire** sur la pau-

pière et dessinez quelques coups de crayon vers l'extérieur de l'œil. Enfin, estompez vers l'extérieur avec la pulpe du doigt.

Faire briller des yeux bruns
• **Appliquez un fard doré** assez clair sur toute la paupière supérieure et unifiez la couleur au pinceau plat.

Donner du relief
à des yeux enfoncés
• Commencez par poser, sur toute la paupière supérieure, un fond de teint d'un ton plus clair que celui utilisé sur le reste de votre visage. Appliquez un fard très clair, et estompez un fard blanc dans le coin interne de l'œil.

Éclairer le regard
• **Posez une touche** de lumière or ou argent au centre de la paupière supérieure, en formant un rond, un trait ou encore un éventail ouvert vers le haut.

Se faire les yeux doux
• **Ombrez vos paupières** de couleurs feutrées. Optez pour les harmonies gris-brun, taupe, kaki, bronze, et sa-chez qu'un fard mat fait paraître l'œil plus brillant. Ne posez aucune couleur sur la paupière supérieure, mais éclaircissez l'arcade et foncez l'ombre du repli orbitaire.

Marier le vert et le bleu
• **Posez le vert** dans l'angle interne, et le bleu (marine ou royal) dans l'angle externe, en halo, jusqu'au pli de la paupière.

Pour un regard de velours
• **Posez un bleu dur** au ras des cils, en faisant déborder le fard à paupières sur la racine des cils. Appliquez également l'ombre au ras des cils inférieurs.

Pour un regard à la Liz Taylor
• **Appliquez sur la paupière** supérieure un fard pastel violet et étirez la couleur jusqu'aux sourcils. Estompez avec un pinceau à blush.

Écarter des yeux
trop rapprochés
• **Choisissez un fard clair** (beige rosé) et posez-le près du nez en l'étirant vers les tempes.

truc *et astuce*

Pour bien démaquiller vos yeux, surtout ne frottez pas, vous risqueriez de froisser vos paupières et de casser vos cils. Tapotez le contour des yeux de l'intérieur vers l'extérieur.

le démaquillage douceur

Pour conserver

un regard éclatant,

ne faites pas l'impasse

sur le démaquillage !

• **Servez-vous d'un produit** spécifique et, si vos yeux sont sensibles, préférez les lotions aux gels ou aux crèmes, qui laissent un voile sur les yeux. Cette zone fragile exige un démaquillant sans corps gras, mélange d'eau florale et d'agents nettoyants ultra-doux. Les démaquillants pour les yeux présentent tous un pH, c'est-à-dire un taux d'acidité, identique à celui des larmes, pour empêcher tout risque d'irritation.

• **Passez délicatement** un coton imbibé de lotion sur la paupière close, en partant du coin interne de l'œil. Balayez les cils et les sourcils en douceur et changez de coton pour chaque œil.

• **Si vous utilisez un mascara** waterproof, humidifiez d'abord le coton avec un peu d'eau tiède bouillie avant de verser dessus votre démaquillant. Vous n'aurez pas de problème de gonflement au réveil. Pour un démaquillage parfait, fermez l'œil, posez sur les cils le coton imbibé, pressez-le légèrement, sans frotter, et attendez quelques instants pour que le mascara se dissolve. Lissez vers le bas avec le coton.

• **Après le démaquillage**, appliquez une crème fortifiante ou un produit à base d'huile végétale ou minérale très doux.

• **Pour activer** la pousse des cils, enduisez-les chaque soir d'un peu d'huile de ricin.

Pratiques, les stylos qui regroupent d'un côté le crayon d'ombre à paupières, de l'autre le mascara dans une teinte coordonnée. Ainsi, impossible de faire des fautes de goût.

les cils

Tout pour avoir

des cils de rêve,

longs et bien fournis,

qui vous feront des yeux

de biche et un regard

ensorceleur.

→ Quelques conseils et astuces

• **Évitez la crème** de jour et les produits solaires sur les paupières et la base des cils avant le maquillage. Les traces de gras empêchent le mascara de sécher et de tenir.

• **Maquillez vos cils** «à l'ancienne », avec une petite brosse épaisse et un produit en tube ou une pâte à l'eau : vos cils seront merveilleusement épais. Commencez toujours par maquiller les cils du bas.

• **Afin de donner de l'épaisseur** à vos cils, poudrez-les légèrement avant l'application du mascara. Recommencez avant chaque couche de mascara. Le résultat est surprenant !

• **Pour maquiller** les cils supérieurs sans tacher la paupière, posez un miroir sur une table et regardez vers le bas. Brossez les cils par-dessous, en les recourbant de la racine vers la pointe.

truc

◆ Si votre mascara a taché vos paupières, rectifiez en tamponnant les taches à l'aide d'un coton-tige légèrement imprégné de démaquillant pour les yeux.

• **Pour un œil qui pétille**, associez mascara de couleur claire et mascara foncé. Appliquez d'abord la couleur claire à la racine des cils et terminez sur les pointes par une touche de mascara noir ou brun.

• **Jouez les camaïeux** ; par exemple, du bleu vif sur les cils de la moitié interne de l'œil et du marine sur la partie externe.

• **Avant d'appliquer** le mascara, n'oubliez pas de mettre une touche de fard foncé à l'angle externe de l'œil.

• **Appliquez le mascara** sur toute la longueur des cils, pour bien ouvrir le regard. Laissez sécher 2 ou 3 secondes entre chaque couche pour bien fixer la courbure des cils.

• **Pour que vos cils** soient bien séparés et ne fassent pas de paquets, essuyez légèrement la brosse sur un mouchoir en papier avant d'appliquer le mascara.

• **Pas de mouvements** de piston avec la brosse pour la charger de produit, cela fait rentrer de l'air et accélère le vieillissement du mascara, qui va sécher plus vite.

Le mascara
Toujours indispensable, le mascara habille l'œil et donne plus de charme et d'intensité au regard. Aux traditionnels noir et brun est venue s'ajouter une palette très riche de coloris. Toutefois, ils ne peuvent apporter ce que seuls permettent les noirs et les

bruns : épaissir et magnifier les cils tout en offrant un aspect naturel.

● **Appliquez** une première couche de mascara foncé pour un effet plus raffiné. Ensuite, maquillez l'extrémité des cils avec la couleur de votre choix.

● **En été**, évitez le mascara noir, qui durcit trop le regard. Préférez le brun, beaucoup plus doux.

● **Mettez de la douceur** dans les cils des yeux noirs : après avoir allongé avec un mascara noir les cils préalablement poudrés, poudrez-les de nouveau, puis maquillez-les avec un mascara bordeaux ou bleu nuit.

trucs

◆ Si vos cils ne sont pas très vigoureux et se cassent facilement, utilisez un mascara enrichi pour les fortifier et les épaissir.

◆ Votre mascara est un peu sec ? Il retrouvera sa texture si vous passez tout simplement le tube sous l'eau chaude pour fluidifier le produit.

● **Mettez une ombre** d'une teinte identique à celle du mascara au ras des cils.

● **Pour que vos cils** paraissent plus fournis, tracez un trait de crayon noir au ras des cils de la paupière supérieure. Estompez avec un coton-tige. Ce trait colore la racine des cils, que l'on a toujours du mal à maquiller avec un mascara.

Teinture des cils

Si vos cils sont très clairs, vous pouvez les faire teindre en institut ou dans un salon de coiffure. La teinture tient environ 2 mois. Pour plus de naturel, demandez que l'on nuance la teinture avec un soupçon de bleu dans le noir. Cette couleur permanente vous donnera un regard plus profond. De plus, vous n'aurez plus besoin de mascara.

→ Des cils bien recourbés

Permanente

● **On pose de minuscules rouleaux,** puis on applique un produit spécial (hypoallergénique et ophtalmologique), on rince soigneusement, et voilà vos cils gracieusement recourbés pour plusieurs mois.

Recourbe-cils

C'est l'instrument favori des maquilleurs et des top-modèles : il donne une jolie courbe aux cils raides et, surtout, il agrandit l'œil.

• **Afin de ne pas casser** vos cils, procédez de la façon suivante :
glissez les cils dans la fente située à l'extrémité du recourbe-cils. Pincez-les juste au bord de la paupière supérieure, recommencez au milieu et terminez par les pointes. Utilisez le recourbe-cils avant l'application du mascara, sinon vos cils vont se coller sur la pince.

Important : ne serrez pas la pince trop près des paupières, vous risqueriez d'arracher les cils ou de vous blesser. Cet appareil est à éviter sur les cils fragiles.

• **Si vous n'avez pas** de pince à recourber les cils, glissez les doigts sous les cils maquillés, baissez les paupières et patientez 1 minute, le temps que votre mascara sèche.

→ Fascination faux cils

Trompe-l'œil

Les plus audacieuses peuvent dessiner des faux cils au crayon le long de la paupière inférieure.

Pose

• **Retirez les faux cils** de leur support avec une pince à épiler. Appliquez un filet de colle à la base des faux cils. Posez-les à la racine de vos cils, en commençant par le coin externe. Effectuez de très légères pressions avec le doigt pour faire adhérer parfaitement. Procédez enfin au maquillage.

• **Vous pouvez aussi** couper en deux une paire de faux cils et les poser sur la moitié externe de la paupière.

De temps en temps, trempez vos lunettes dans de l'eau savonneuse. Rincez-les et essuyez-les en utilisant un tissu fin non pelucheux. Évitez de les nettoyer avec un produit alcoolisé.

lunettes et lentilles

Charme des lunettes,

discrétion des verres

de contact… ou comment

vivre en harmonie

avec ces partenaires

de votre confort.

→ **Lunettes**

Quelques conseils et astuces

- **Avant de vous décider** pour une monture, regardez-vous de face, mais aussi de profil et de trois quarts.

- **Un verre solaire** de qualité doit filtrer 100 % des UV. Les montures enveloppantes limitent le taux de radiations susceptibles d'atteindre l'œil par les côtés des lunettes.

- **Les verres solaires** doivent être estampillés « CE », norme européenne.

- **N'achetez pas** des lunettes de soleil dans n'importe quelle boutique. Prenez les conseils d'un opticien.

- **Quand vous les enlevez**, rangez vos lunettes dans un étui pour éviter de les rayer.

- **Pour faire disparaître** les traces de moirures sur les verres, lavez-les avec quelques gouttes de vinaigre ou de vodka.

- **Supprimez les dorures** sur des lunettes en écaille en les frottant avec un tampon imbibé d'eau de Javel pure.

- **Rien n'est plus désagréable** que la buée sur les lunettes. Pour l'éviter, lavez-les avec du savon ou du shampooing. Rincez et laissez sécher tel quel. Ensuite, essuyez-les avec un linge fin parfaitement sec. Vous aurez des verres impeccables toute la journée.

- **Autre solution** : frottez les verres sur les deux faces avec un morceau de savon bien sec. Essuyez ensuite à l'aide d'un mouchoir en papier.

→ Lunettes et maquillage

Avec des lunettes de vue, il est important d'adopter des fards naturels doux et mats : brun, pêche, rose, gris.

- **Estompez la couleur** avec un pinceau. Évitez le noir. Si vous êtes très myope, il faut agrandir vos yeux, car les verres sont épais. Soulignez le contour de l'œil en prolongeant vers l'extérieur.

→ Lentilles

Les lentilles longue durée
- **Elles sont souples**, mais, à la différence des autres, on peut les garder environ 1 an.

Lentilles de couleur
- **Changer vos yeux marron** en prunelles bleues, c'est facile avec les lentilles de couleur, correctrices ou non. Il faut les choisir opaques (les plus vendues) si vous avez les yeux foncés. La couleur est complètement modifiée.

Lentilles et maquillage

• **Il est nécessaire** de vous maquiller une fois les lentilles mises, et de vous démaquiller après les avoir retirées.

Lentilles et ordinateur

• **Si vous travaillez** sur un ordinateur, reposez vos paupières, en cours de journée, avec 1 goutte de gel contour des yeux. C'est apaisant et votre maquillage n'en souffrira pas.

Lentilles et natation

• **Si vous ne mettez pas** la tête sous l'eau, pas de problème ! Dans le cas contraire, utilisez une paire de lunettes de natation étanche.

Pour retrouver un verre de contact rapidement

• **Enfilez un collant** sur l'embout du tuyau de l'aspirateur : le verre vient alors s'y coller sans aucun dégât. Bien sûr, stérilisez avant utilisation.

à noter

◆ Utilisez un démaquillant non gras ; adoptez de préférence des fards hypoallergéniques, des ombres en crème plutôt qu'en poudre. Ne mettez pas de crayon à l'intérieur de l'œil.

soins et maquillage
de la bouche

Et comme votre bouche

est un atout beauté,

initiez-vous à l'art subtil

de son maquillage.

Le plus beau des sourires se trouvera gâté s'il dévoile des dents jaunies, mal soignées, ou, pire, s'il s'accompagne d'une haleine désagréable.

Vous trouverez dans cette dernière partie de précieux conseils pour soulager les petits maux qui suffisent à gâcher une journée, prévenir les caries et la plaque dentaire, protéger et raffermir vos gencives, brosser efficacement vos dents et les blanchir, avoir un souffle pur et frais.

Découvrez tous les secrets pour embellir vos lèvres, les modeler, les ourler d'un trait délicat, souligner la perfection de leur dessin ou, à l'inverse, estomper les petites imperfections. Créez votre style. Optez pour le naturel, tirez parti des tons vibrants pour un maquillage du soir audacieux, mettez un zeste de fantaisie en concoctant des teintes personnalisées.

Toutes les astuces pour une parfaite mise en beauté de votre bouche vous sont livrées au fil de ces pages.

soins de la bouche et des dents

Pour que votre sourire

soit éclatant, prenez soin

de vos dents.

Et n'oubliez pas

qu'une haleine fraîche

est la clé du succès.

→ Pour soulager et prévenir le mal

Abcès dentaire

* **Faites cuire 1 figue** dans du lait. Coupez-la en deux et appliquez le côté coupé contre la gencive. Laissez en place 1 h 30 à 2 heures. À faire en attendant le rendez-vous avec votre dentiste.

Carie

* **Pour prévenir les caries**, rincez-vous la bouche après le repas avec du thé vert. Mais ne négligez pas le bilan annuel pour déceler les caries cachées.

Douleurs

* **Pour les atténuer**, avant l'intervention du dentiste, mâchez quelques clous de girofle. Les bains de bouche avec une décoction concentrée de clous de girofle (10 dans 1 tasse à café d'eau bouillante) ont aussi des effets calmants.

* **Faites des bains de bouche** prolongés avec une décoction concentrée de sauge.

Choix d'un dentifrice
• **Il doit répondre** à différents critères.

Prévention des caries
• **Un dentifrice au fluor** renforce la résistance des dents.

La prévention du tartre
• **Un dentifrice spécifique** freine la constitution de tartre.

Protection des gencives
• **C'est la préoccupation** majeure des plus de 40 ans. L'utilisation d'un dentifrice préconisé par un dentiste permet de conserver des gencives saines.

Choix d'une brosse à dents
• **Brosse souple ou rigide ?** Les dentistes recommandent les brosses souples, qui éliminent parfaitement les dépôts alimentaires et sont nettement moins agressives que les dures.

• **Choisissez une brosse** labellisée (ADF), ce qui garantit qu'elle a été testée. Changez-en tous les 2 mois.

Pour un bon brossage
• **Alternez deux mouvements** : le premier dans le sens vertical et en effectuant des rotations tout en douceur ; le second dans le sens latéral et suffisamment vigoureux pour nettoyer les molaires au niveau de la gencive.

• **Brossez vos dents** pendant au moins 3 minutes et après chaque repas.

• **Enfin, n'oubliez pas** que les dents ont cinq faces et qu'il faut en brosser également l'arrière et les interstices. Rincez abondamment pour évacuer les déchets détachés.

truc
⬥ Si vous avez perdu le bouchon de votre tube de dentifrice, placez le tube tête en bas dans un verre d'eau.

→ Quelques conseils et astuces

• **Complément indispensable** du brossage, l'hydropulseur est idéal pour déloger les petits débris d'aliments nichés entre les dents. En outre, il tonifie les gencives. Ne le mettez pas sur la puissance maximale pour ne pas irriter vos gencives.

• **Très pratique**, le fil dentaire est le complément parfait du brossage. Tenez le fil entre vos doigts et passez-le entre les dents, au niveau de la gencive. Effectuez un mouvement de va-et-vient, de façon à nettoyer les espaces interdentaires, difficilement accessibles avec une brosse à dents.

• **Vous pouvez aussi frotter** vos dents avec un peu de bicarbonate de soude. À ne pratiquer qu'une fois par semaine, car ce produit est très décapant.

• **Pour les fumeurs impénitents**, brossage régulier avec de la poudre d'iris florentina (en herboristerie), qui blanchit les dents.

• **La poudre de thym** est un puissant désinfectant. Broyez des feuilles de thym séchées dans un moulin à café électrique. Trempez la brosse dedans, à sec, brossez vos dents dans tous les sens, et rincez.

• **Ne vous brossez jamais** les dents avec du jus de citron. L'acide citrique en détériore à jamais l'émail.

• **Croquez des pommes**, c'est une excellente gymnastique pour les gencives.

• **Oubliez le sucre** et ne vous servez pas de vos dents pour couper un fil, casser des noix, forcer un bouchon.

à noter

◈ Il est indispensable de faire faire un détartrage par votre dentiste une fois par an.

Pour une haleine fraîche

Quelle que soit son origine, digestive ou dentaire, de nombreux remèdes permettront de purifier votre haleine comme le persil, la menthe, le jus de citron, les grains de café, sans oublier les bains de bouche. Si ce problème persiste, consultez un médecin ou un dentiste.

✳ **Croquez des grains de café**, sucez un clou de girofle ou mâchez des brins de persil.

✳ **Buvez un jus de citron** coupé d'eau.

✳ **Tonique et parfumée**, l'infusion de menthe fraîche rafraîchira votre haleine. Faites infuser 1 poignée de feuilles de menthe et buvez cette infusion glacée.

✳ **Laissez macérer** durant 3 semaines, dans 20 cl d'alcool à 40°, 2 grammes de cannelle en poudre, 2 grammes de clous de girofle et 0,5 gramme d'alcool de menthe. Filtrez et mettez en bouteille. Quelques gouttes dans l'eau de rinçage, après le brossage des dents, et votre haleine sera parfumée.

✳ **Faites des bains de bouche** avec une infusion concentrée de feuilles de sauge, fraîches ou sèches.

✳ **La poudre de feuilles de sauge** obtenue en pilant des feuilles séchées nettoie les dents et désinfecte la bouche.

> IMPORTANT
>
> *Si vous fermez le robinet en vous brossant les dents, en 3 minutes, vous économisez 18 litres d'eau. Au bout de 1 an, l'économie est appréciable !*

truc *et astuce*

Pour enlever une tache de rouge à lèvres sur une serviette ou un vêtement blanc, tamponnez-la avec de la glycérine ou un peu d'éther. Rincez aussitôt.

le rouge à lèvres

Rouge ou non,

il est indispensable

pour souligner une bouche

mutine, parer des lèvres

sages ou rehausser

un sourire de star.

• **Choisissez votre rouge** en fonction du tracé de votre bouche et de votre carnation. Sachez que les rouges vifs ou foncés conviennent aux lèvres pleines et bien dessinées, et que les couleurs claires donnent du relief aux lèvres minces.

• **Si vous aimez** les rouges à lèvres très foncés, très couvrants et qui tiennent longtemps, il faut aller voir du côté des maquillages pour peaux noires. Vous y trouverez des teintes somptueuses dans la gamme des bruns, des brun-rouge, des rouge grenat, des pourpres, des marron glacé.

• **La bouche** est un point phare de votre visage, tous les maquilleurs le disent. Ne laissez donc pas vos lèvres nues, parez-les de couleur, faites-les briller, corrigez les petites imperfections par un maquillage astucieux

→ Choix d'un rouge à lèvres

Couvrant mat

• **Pour celles** qui aiment les lèvres bien dessinées, il s'applique au pinceau et a l'avantage de tenir longtemps. Sa texture sèche nécessite d'hydrater les lèvres le matin, avant l'application, et le soir, après le démaquillage.

Semi-couvrant

• **Il glisse sur la bouche** en souplesse et brille. Sa texture, plus crémeuse, hydrate correctement les lèvres. Son défaut : Il a tendance à «baver», d'où la nécessité d'utiliser un crayon contour à choisir dans la même tonalité.

Nacré

• **À poser en touches** de lumière au centre des lèvres bien hydratées, pour l'éclat.

truc

◆ Composez votre propre teinte de rouge à lèvres. Prélevez 1 noisette de rouge provenant de tubes différents que vous mettrez dans une casserole. Laissez fondre au bain-marie. Tournez pour bien mélanger les couleurs et versez cette pâte dans un tube pour granules homéopathiques.

→ Les accessoires indispensables

Pinceau

Pour un tracé impeccable, utilisez un pinceau à lèvres, qui permet de modeler parfaitement vos lèvres.

• **Prenez un pinceau souple** mais ferme, aux poils courts et fournis, assez fin pour bien dessiner les commissures. Il permettra d'appliquer la couleur de façon uniforme. Partez des commissures des lèvres pour aboutir au centre. Absorbez le surplus en pressant sur les lèvres un mouchoir en papier. Poudrez pour fixer, puis passez une nouvelle couche au pinceau.

Crayon

Le crayon est un outil fabuleux si vous voulez que votre bouche soit bien ourlée, avec une assurance de tenue maximale.

- Avant l'utilisation du crayon, hydratez la bouche avec une bonne crème de jour.

- Préférez un crayon à mine tendre, qui glisse bien sur les lèvres, les autres assèchent les muqueuses et sont plus difficiles à appliquer.

- Choisissez un ton similaire à celui du rouge à lèvres, éventuellement légèrement plus foncé.

- Si l'on veut une bouche ultra-mate, on peut n'utiliser que le crayon à lèvres. Colorer la bouche avec le plat de la mine et fondre au doigt ou au pinceau.

- Très pratiques, les crayons dotés d'un embout pinceau. Vous pouvez aussi dessiner les contours de la bouche au crayon et hachurer l'intérieur des lèvres. Mordez avec un mouchoir puis posez le rouge au pinceau. À l'aide d'une houppette, fixez avec une poudre libre.

→ Maquillage des lèvres

- Commencez par poudrer vos lèvres à l'aide d'un gros pinceau. Votre dessin sera d'autant plus précis. En outre, cela absorbera une partie des corps gras et épaissira la texture du rouge, qui tiendra mieux.

- Cernez les lèvres au crayon. Commencez toujours par le milieu, puis étirez en insistant sur les commissures.

- Remplissez toute la bouche, toujours au crayon, puis appliquez le rouge à l'aide d'un pinceau à lèvres, pour plus de précision. Procédez par petites touches. Colorez d'abord les contours, puis terminez par le centre.

- Pincez un mouchoir en papier entre vos lèvres pour fixer la couleur.

• Mettez une seconde couche de rouge à lèvres, toujours au pinceau, sans trop insister, pour éviter l'effet pâteux.

• Pour rendre les lèvres plus pulpeuses, posez une petite touche d'ombre à paupières nacrée, si possible dans les tons or, en haut et en bas, ou une touche de brillant, toujours avec le bout du doigt et sans trop appuyer.

Lèvres bien dessinées

• Dessin soyeux du contour au crayon ou au pinceau. Pas de dépassement, mais un contour fidèle jusqu'aux commissures. Cette bouche s'accommode de tous les tons rouges brillants ou mats, vifs, profonds et même bleutés. Essayez aussi un rouge orangé.

Lèvre supérieure trop arrondie

• Creusez légèrement la lèvre supérieure en formant un V, au milieu.

Lèvre supérieure sans démarcation

• N'utilisez pas de crayon, mais esquissez la forme au pinceau. Posez le rouge directement avec le bâton et, pour accrocher la lumière, mettez une touche de gloss au centre de la lèvre inférieure.

Lèvres trop fines

• Soulignez-les d'un trait de crayon un peu plus foncé que le rouge choisi. Elles paraîtront plus ourlées.

• Commencez par souligner les contours avec un crayon à lèvres bien taillé de couleur chair ou blanc, en débordant légèrement au-dessus de la ligne naturelle. Poudrez, puis appliquez votre un rouge à lèvres, en privilégiant les teintes claires, qui donnent du relief. Posez, à l'aide d'un petit pinceau, une touche de brillant incolore au centre des lèvres pour en faire ressortir le modelé.

• Évitez les rouges à lèvres foncés,

ils soulignent la minceur de la bouche et durcissent l'expression du visage.

Lèvres
trop épaisses

• **Ne pas mettre** du rouge sur des lèvres épaisses est une excellente façon d'attirer l'attention sur elles. Et puis, des lèvres pulpeuses, c'est plutôt joli et sensuel ! Utilisez un rouge à lèvres brun rosé mat que vous poserez au milieu des lèvres et que vous étirerez bien, vers l'extérieur, avec le doigt ou encore mieux, avec un pinceau fin, pour affiner.

• **Si toutefois** votre bouche vous paraît trop charnue, diminuez l'épaisseur des lèvres en soulignant le contour naturel avec un crayon brun rosé, puis estompez avec un fond de teint clair.

• **Autre méthode** : posez fond de teint et poudre, puis, avec un crayon brun rosé, bordeaux ou rose-violet, redessinez les contours un peu à l'intérieur. Au pinceau, sans déborder, placez un rouge foncé et mat que vous estom-

perez aux commissures pour rendre la correction totalement invisible.

Lèvre inférieure
trop épaisse

• **L'astuce** consiste à la diminuer en traçant un trait de crayon un peu plus haut que le bord naturel.

Lèvres trop droites

• **Estompez** les commissures avec du fond de teint et remodelez le dessin de la bouche en accentuant un peu l'arrondi des lèvres.

Lèvres aux commissures
tombantes

• **La bouche paraît** dédaigneuse. L'expression est créée par les coins tombants et la ligne boudeuse de la lèvre inférieure. Après la quarantaine, la bouche perd de son tonus et la commissure des lèvres a tendance à s'affaisser. Utilisez un crayon anti-cernes pour corriger cet aspect.

Posez-le en ligne droite aux coins de la lèvre inférieure pour relever les traits. Puis, avec un crayon brun, débordez un peu aux angles de la lèvre supérieure. Le crayon anti-cernes permet également de dessiner parfaitement le centre de la lèvre supérieure. Choisissez un rose lumineux ou un rouge pétillant et posez du brillant au centre de la lèvre inférieure.

Lèvres trop pâles

• **Colorez-les** avec un crayon brun clair. Estompez avec le bout du doigt, puis posez votre rouge habituel.

• **Pour dessiner une bouche** qui manque de précision ou qui est de carnation trop claire, maquillez-la avec deux rouges : un clair pour la lèvre supérieure et un plus foncé pour la lèvre inférieure, mais dans la même tonalité.

Bouche trop discrète

• **Pour mettre la bouche en valeur**, placez le rouge en dégradé. Plus foncé au centre et plus clair vers les commissures, en utilisant deux tons de rouge très proches.

Bouche trop petite

• **Allongez le contour** de la lèvre inférieure et éclaircissez les côtés de la lèvre supérieure. Préférez les tons clairs, donnant du relief.

• **Pour obtenir plus de relief**, mettez d'abord une touche de votre rouge habituel sur vos lèvres, puis posez du brillant à lèvres au centre.

• **S'il s'agit d'agrandir** la bouche au niveau des commissures, effectuez un trait de crayon un peu à l'extérieur des lèvres et suivez le reste de leur tracé naturel. Passez ensuite votre rouge.

Bouche trop large

• **Pour masquer** cette imperfection, il suffit de dessiner les lèvres d'un trait de crayon en restant en retrait des commissures en haut et en bas. Au milieu, suivez la ligne naturelle de la bouche, puis appliquez soigneusement votre rouge à lèvres. Choisissez-le de couleur foncé, il fera apparaître votre bouche plus petite. Si vous n'utilisez pas de rouge, mettez du fond de teint et un nuage de poudre sur les contours de vos lèvres pour les estomper.

truc

🌢 Effectuez tous les soirs des petits pincements en suivant le contour des lèvres. Vous retarderez de cette façon l'apparition des ridules verticales de la bouche.

Bouche pulpeuse

• **Une bouche pulpeuse** est une bouche gourmande et charnue. Dessinez le contour au crayon. Commencez par le centre et continuez jusqu'aux commissures. Posez le rouge au pinceau et matifiez avec un mouchoir en papier que vous presserez plusieurs fois sur vos lèvres.

• **Après avoir étalé** une première couche de rouge foncé mat, passez une seconde couche au pinceau, avec un beige légèrement nacré. Fixez en tamponnant avec un mouchoir en papier, puis, du bout du doigt, et sur la lèvre inférieure seulement, mettez du brillant pour accentuer l'aspect pulpeux.

• **Rendez vos lèvres** encore plus pulpeuses en remplaçant votre crayon habituel par un trait ultra-fin de crayon blanc.

• **Dessinez d'abord** votre bouche avec un crayon beige rosé, puis hachurez l'intérieur des lèvres. Posez ensuite le rouge en l'étirant vers les bords extérieurs pour dégrader sa tonalité.

Maquillage naturel

• **Pour une bouche naturelle**, inutile d'en redessiner le contour. Un peu de brillant à lèvres légèrement teinté et hydratant convient. Pour obtenir une couleur très légère, mélangez au pinceau un peu de rouge avec du baume pour les lèvres.

Atout brillance

• **Pour amplifier l'éclat** de votre bronzage, utilisez en tandem une poudre à lèvres et une touche de vaseline. Appliquez la poudre à lèvres, puis ajoutez un soupçon de vaseline sur les points phares du visage : les lèvres bien sûr, mais aussi les pommettes, l'arcade sourcilière et le menton. De vrais accroche-lumière pour briller !

truc

◆ Les rouges à lèvres très colorés et couvrants ne sont pas toujours faciles à démaquiller. Commencez par poser 1 noisette de crème grasse sur le pourtour des lèvres. Pressez ensuite sur la bouche un mouchoir en papier plié en deux et essuyez les commissures. Vous pouvez ensuite procéder sans problème à votre démaquillage habituel.

Maquillage sophistiqué

• **Poudrez soigneusement** vos lèvres et entourez-les d'un trait de crayon rouge-brun, en prenant soin de bien dessiner les commissures et en dépassant l'ourlet de la bouche. Posez au pinceau un rouge vif.

• **Pour des lèvres de feu**, dessinez le contour des lèvres avec un crayon de couleur pourpre. Appliquez un rouge intense, incandescent, à l'aide d'un pinceau, puis pressez les lèvres sur un mouchoir en papier. Poudrez légèrement, appliquez de nouveau le rouge à lèvre, puis un gloss naturel.

Astuce de la star

• **Sur le rouge à lèvres**, posez une touche de blanc brillant juste au centre de la lèvre inférieure.

Maquillage du soir

• **Le soir**, à la lumière artificielle, il est nécessaire d'avoir une bouche « haute en couleur ». Choisissez un rouge à lèvres éclatant pour mettre votre bouche en valeur sous les spots ou à la lueur des bougies.

• **Maquillez vos lèvres** en fuchsia électrique, et, pour la touche finale, posez une pointe de brillant nacré au milieu de la lèvre inférieure.

• Optez pour un rouge à lèvres poudre. Lui seul résiste à plusieurs coupes de champagne, car il renferme très peu de corps gras.

→ Autres astuces

**Tous les trucs
pour être irrésistible**

• Quand vous utilisez un crayon, ne débordez jamais trop, 1 ou 2 millimètres, pas plus.

• Pour que votre rouge à lèvres dure, crayonnez d'abord vos lèvres avec le crayon contour. Placez un peu de fond de teint aux commissures des lèvres, puis colorez avec un crayon à lèvres, comme pour imiter les stries naturelles. Estompez en effleurant les contours, puis appliquez le rouge.

• Touche finale pour accentuer la matité et augmenter la durée de maquillage : après avoir mordu dans un mouchoir en papier, tapotez légèrement votre bouche à l'aide d'un pinceau poudré d'un peu de blush foncé.

Ainsi, vous fixerez parfaitement votre rouge à lèvres.

• Une touche de rouge à lèvres sur chaque pommette, estompée au doigt, peut remplacer le blush.

• Vous avez la mine fatiguée ? Pas de blush, mais une bouche soigneusement dessinée au rouge à lèvres très vif.

• Si même après l'avoir estompé, votre rouge à lèvres est encore trop foncé, appliquez sur vos lèvres un rouge plus clair, dans les tons de rose ou de beige. Mélangez les deux couleurs avec un pinceau, puis terminez en posant une touche de brillant transparent.

• Un truc de maquilleur très efficace pour embrasser sans laisser de traces : maquillez les lèvres au pinceau avec un crayon à contour préalablement ramolli. Faites fondre du sucre et, toujours au pinceau, « glacez » les lèvres comme un gâteau. Vous pouvez aussi passez dessus un glaçon enfermé dans un sac plastique.

• **Juste après avoir appliqué le rouge**, glissez votre index entre vos lèvres et enlevez votre doigt en tirant d'un coup sec. Le geste n'est pas très élégant, mais il évite les traces de rouge à lèvres sur les dents.

• **Pour avoir à nouveau** une bouche impeccable, quand le rouge à lèvres a filé, absorbez avec un mouchoir à démaquiller plié en trois, en étirant bien la bouche pour lisser les ridules. N'essuyez pas, mais tamponnez jusqu'à ce que le mouchoir soit impeccable, puis poudrez.

• **Jouez les harmonies** en assortissant la couleur de votre rouge à lèvres à celle de votre fard à joues et de votre vernis à ongles.

• **Pour renforcer l'éclat** d'un rouge, posez quelques touches de gloss sur le contour de la lèvre supérieure. Vous accentuerez ainsi le contraste entre votre teint et la couleur vive de votre bouche.

• **Pour l'été**, sachez que les rouge ver-millon sont les plus beaux avec le bronzage. En hiver, sur une peau claire, les rouges bleutés sont très flatteurs.

• **Si vous aimez** les lèvres pâles, adoptez un beige naturel givré. C'est un superbe éclat de lumière sur les lèvres. Cette couleur convient aussi bien aux carnations pâles qu'aux peaux bronzées, dont elle met subtilement le hâle en valeur.

• **Détournez vos fards** à joues et à paupières de leur utilisation ! Posez-les sur les lèvres avec un applicateur en mousse. Vous obtiendrez une tenue parfaite et des tons nouveaux.
Attention à l'effet desséchant des pigments colorés. Hydratez bien vos lèvres avant d'appliquer la couleur, puis absorbez l'excès avec un mouchoir à démaquiller. Le cuivre, l'orangé, le brun et le safran ont un effet superbe.

Anti-gaspi

• **Si votre rouge à lèvres** s'est cassé en deux, faites ramollir les deux morceaux cassés à la flamme d'un briquet ou d'une allumette, rapprochez-les et lissez les bords avec une allumette. Placez ensuite le bâton de rouge au réfrigérateur pour qu'il durcisse.

● **En utilisant** un petit pinceau assez dur et taillé en biseau, on arrive à user son rouge à lèvres jusqu'au dernier bout ; 20 % sont logés dans le mécanisme.

● **Au lieu de jeter** vos rouges à lèvres démodés, mélangez-les à l'aide d'un pinceau. Vous obtiendrez une couleur nouvelle personnalisée.

● **Les rouges « démodés »** peuvent également devenir fard à joues. Appliquez quelques touches, juste après le fond de teint, en prenant soin d'estomper avec le doigt pour obtenir un résultat discret. Poudrez ensuite pour fixer la couleur.

● **Mélangez deux teintes** de rouge sur vos lèvres pour obtenir une tonalité précise qui s'harmonisera, juste pour un soir, avec votre tenue, plutôt que d'acheter un tube supplémentaire.

annexes

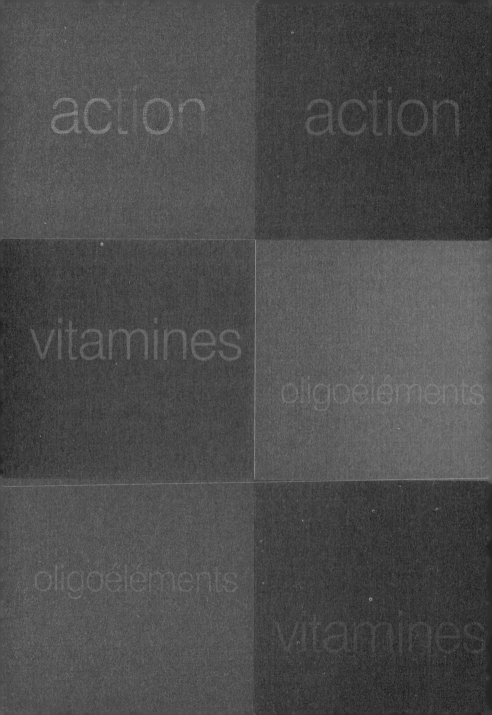

l'action des vitamines et des oligoéléments

C'est dans une alimentation variée et équilibrée que vous puiserez tous les oligoéléments et les vitamines nécessaires à votre corps, vos cheveux, votre bien-être.

les vitamines :
véritable passeport pour la forme

On ne dira jamais assez leurs bienfaits, mais il ne faut pas oublier que les vitamines présentes dans les fruits et les légumes ont une courte durée de vie et qu'il est nécessaire de prendre quelques précautions pour ne pas les perdre :

• Lors de l'achat, choisir des produits de saison, mûrs et les acheter en petites quantités.

• Les conserver à l'abri de la chaleur et de la lumière, de préférence dans le bac à légumes du réfrigérateur.

• Lors de la préparation : les laver sous un filet d'eau courante, ne jamais les laisser séjourner dans l'eau. Les brosser plutôt que de les éplucher et les préparer au dernier moment.

• La cuisson à la vapeur ou à l'étuvée, dans très peu d'eau, préserve les vitamines. Consommer immédiatement en évitant de réchauffer.

à savoir : avec une alimentation variée, un adulte en bonne santé n'a pas besoin d'un surplus de vitamines. Il est donc important de souligner que la mode des «méga-doses» de vitamines est inutile voire dangereuse pour les vitamines liposolubles (ADK). Un apport pharmaceutique n'est nécessaire qu'en cas de régimes restrictifs ou de maladies, entraînant des carences de vitamines, ou dans certaines circonstances : si vous êtes enceinte ou si vous allaitez, si vous fumez trop, si vous buvez trop d'alcool ou si vous êtes stressé.

	PRINCIPALES FONCTIONS	SOURCES NATURELLES
Vitamine A ou rétinol	C'est la « vitamine de la peau » ; elle favorise la croissance et la résistance aux infections des tissus et des os. C'est un antioxydant qui lutte contre le vieillissement. Sa consommation quotidienne doit être augmentée chez les fumeurs, les femmes sous contraceptifs et lorsqu'on prend des médicaments. PARTICULARITÉ : c'est la seule vitamine qui soit toxique en surconsommation.	Poissons gras Huile de foie de morue Beurre, fromage, laitages Foie Carottes, épinards, cresson, brocoli, abricot Fines herbes Levure de bière Céréales complètes
Provitamine A ou bétacarotène	Bonne contre le vieillissement de la peau, les cancers et les maladies cardio-vasculaires. Antioxydante, elle protège l'organisme des radicaux libres. Sa carence, plutôt rare, est généralement provoquée par l'absorption de certains médicaments ; le tabagisme, l'excès d'alcool ou des régimes purement végétaliens sans œufs ni lait.	On la trouve en abondance dans les fruits et les légumes de couleur rouge orangé (carotte, abricot sec, potiron, melon, papaye) et dans les légumes très verts comme les épinards, le cresson, le brocoli, le chou vert, le fenouil, l'épinard, le persil...
Vitamine B1 ou thiamine	« Vitamine du moral », elle facilite la transmission de l'influx nerveux et la lutte contre le stress.	Levure de bière Céréales complètes Pain complet Viande de porc Légumineuses (haricots, petits pois)

	PRINCIPALES FONCTIONS	SOURCES NATURELLES
Vitamine B2 ou riboflavine	Elle donne « la pêche » en participant à la production d'énergie. Elle intervient dans l'assimilation des protéines et des lipides et favorise le développement de l'embryon. Elle permet comme la B1, de constituer des réserves d'énergie.	Lait et produits laitiers Levure de bière Germe de blé Flocons d'avoine Foie, viande, œufs Épinards
Vitamine B3 ou PP	« Vitamine de la peau », des tissus et des vaisseaux, elle a essentiellement un rôle énergétique mais elle intervient aussi dans la croissance et la synthèse des hormones.	Céréales Fruits oléagineux Germe de blé Champignons Légumes secs Viande, poisson Fruits secs
Vitamine B5 ou acide pantothénique	Anti-stress, essentielle au développement et au bon fonctionnement du système nerveux central, elle favorise également la production d'énergie et la lutte contre les infections (augmentation des anticorps). Aide à la cicatrisation des plaies. Elle intervient dans la synthèse des lipides, des protides et des glucides.	Pastèque Avocat Saumon Œufs Champignons, pomme de terre Foie, lait Fraises, dattes

	PRINCIPALES FONCTIONS	SOURCES NATURELLES
Vitamine B6 ou pyroxidine	Elle contribue aux processus de transformation et d'élimination des protéines. Elle a un rôle de régulation, construction des tissus, production d'énergie, détoxification de l'organisme, diminution des crampes et des spasmes musculaires.	Germe de blé Fromage Jaune d'œuf Céréales complètes Saumon Banane, poireau, poivron
Vitamine B8 ou biotine	Elle est bénéfique pour la peau et prévient la chute des cheveux. Dans les gélules pour fortifier les cheveux ou les ongles, elle est souvent associée avec la vitamine PP.	Dans la plupart des aliments
Vitamine B9 ou acide folique	Elle aide à prévenir l'anémie, à réduire la douleur et participe à la formation des globules rouges. Elle est essentielle chez la femme enceinte. Elle joue aussi un rôle préventif contre le cancer du col de l'utérus.	Légumes verts à feuilles (épinard, cresson, mâche) Poisson Foie, œufs
Vitamine B12	Elle intervient dans la formation des globules rouges, en aidant à prévenir l'anémie. Elle contribue, de plus, à l'amélioration du fonctionnement du système nerveux (mémoire, équilibre).	Foie Huîtres, crabe, saumon, Sardines et thon en conserve Viande Lait, fromage, œufs

	PRINCIPALES FONCTIONS	SOURCES NATURELLES
Vitamine C	C'est la vitamine anti-fatigue et anti-stress. Elle combat les infections, en particulier la grippe. Ses propriétés antioxydantes en font un atout majeur dans la lutte contre le vieillissement. Elle favorise l'absorption du fer et du calcium, la fabrication du collagène.	Pamplemousse, kiwi, orange, citron, fraise, mandarine, ananas, banane, cassis, poivron rouge et vert, choux de Bruxelles, chou-fleur, brocoli, pomme de terre, tomate, épinards, chou, petits pois, le persil
Vitamine D	Elle renforce la trame osseuse, favorise l'absorption du calcium et du phosphore, empêchant le rachitisme chez l'enfant et l'ostéoporose chez l'adulte. Elle a une excellente action sur la peau dans le cas de psoriasis et contribue à la santé du système nerveux. Elle est bonne pour la santé des os, des dents et des muscles.	Huile de foie de morue Poissons gras Beurre, œufs, fromage
Vitamine E	C'est l'un des antioxydants les plus puissants pour combattre les radicaux libres et le vieillissement cellulaire.. ATTENTION : Il est important d'éviter toute carence en particulier chez les fumeurs.	Germe de blé Huiles ou margarines végétales (tournesol, maïs, soja, germe de blé) Noisettes, amandes, noix, riz complet, asperges, pomme, poire, pamplemousse, carotte, tomate

	PRINCIPALES FONCTIONS	SOURCES NATURELLES
Vitamine F	Acides gras essentiels, acide lino-léique.	Huiles et margarines de tournesol, de maïs, de pépins de raisin Soja Noix, olives
Vitamine K	Elle joue un rôle principal dans la coagulation sanguine.	Chou, épinards, soja Foie, fromage

les sels minéraux et oligo-éléments : indispensables à l'organisme

Sauf régimes aberrants, l'apport en sels minéraux par l'alimentation est suffisant.

D'une manière générale, et pour une bonne hygiène de vie, il est vivement conseillé de consommer :

- à haute dose : des fibres (légumes, fruits, céréales), des produits laitiers, de l'eau.
- à petite dose : des sucreries et des plats en sauce.

à savoir : pour profiter de tous les bienfaits des oligo-éléments, évitez de laisser les aliments trop longtemps dans l'eau. Solubles, les oligo-éléments passent en effet rapidement dans le liquide. Si vous jetez l'eau, vous jetez en même temps ces précieux anti-oxydants.

	PRINCIPALES FONCTIONS	SOURCES NATURELLES
Calcium	Avec le phosphore, il est l'un des deux constituants principaux des os et des cartilages. Leur carence entraîne l'ostéoporose chez l'adulte avec risques de fractures.	Lait et produits laitiers Soja Agrumes, cassis Brocoli Miel
Chrome	Le chrome peut vous aider à suivre un régime en contrôlant votre appétit. Le chrome a aussi un effet favorable sur le taux de cholestérol. Il prévient les maladies cardio-vasculaires	Jaune d'œuf Cresson Blé complet
Cobalt	Protecteur de la peau, régulateur du système nerveux, hypotenseur, vasodilatateur	Lentilles, haricots blancs Blé complet, soja Jaune d'œuf, radis, agneau
Cuivre	Le cuivre est le partenaire du fer dans la fabrication du sang et celui du zinc antioxydant	Fruits de mer, foie Céréales, fruits secs Cacao
Fer	C'est un constituant majeur de l'hémoglobine. Il assure une bonne oxygénation des tissus. Il intervient dans le bon fonctionnement des muscles. C'est un facteur important du processus d'immunité. Risque de carence chez les futures mamans.	Viande, abats Lentilles Cacao Céréales complètes

	PRINCIPALES FONCTIONS	SOURCES NATURELLES
Iode	Actif dans la synthèse des hormones thyroïdiennes. Brûle les excès de graisse. Energétique.	Oignon, artichaut Fruits de mer
Manganèse	Fixe les minéraux et la vitamine B1. Anti-radicaux libres. Assimilation des glucides.	Légumes et fruits secs Légumes et fruits frais Thé
Magnésium	Indispensable à l'équilibre nerveux et neuromusculaire. Les besoins quotidiens chez l'adulte sont de 300 mg. Ils doublent en période d'activité intense.	Chocolat noir, amandes, noix Soja, haricots blancs, lentilles Épinards Poissons, crustacés
Phosphore	Il intervient dans la constitution de la charpente osseuse dont il est l'élément essentiel et dans la transformation des nutriments.	Lait et produits laitiers Pain, jaune d'œuf, Légumes secs
Potassium	Il assure la répartition de l'eau dans le corps. Bon pour le cœur et les muscles.	Fruits secs, café, lait en poudre, haricots secs, cacao, farine de soja
Sélénium	Champion de la lutte contre les radicaux libres surtout lorsqu'il est associé à la vitamine E.	Poissons, viandes, œufs Céréales Fruits de mer
Silicium	Indispensable à la reminéralisation générale et à la reconstitution du calcium osseux. Tonus des tissus cutanés (cellulite).	Céréales complètes Pollen, ginseng, gelée royale Ail

	PRINCIPALES FONCTIONS	SOURCES NATURELLES
Zinc	Il renforce les défenses immunitaires, protège les cheveux, les ongles et évite la fonte musculaire.	Fruits de mer Ail Thé, vin

Achevé d'imprimer en Italie par

LTV

LA TIPOGRAFICA VARESE
Società per Azioni

Varese
Juillet 2002